FLORALIES

LES DEUX FRATERNITÉS

DU MÊME AUTEUR

à la Librairie Jules TALLANDIER

Dans la même collection :

Le mystère de Ker-Even (*2 volumes*).
Le Roi de Kidji.
Elfrida Norsten.
Laquelle ?
Orietta.
Gilles de Cesbres.
Ma Robe couleur du temps.
Un Marquis de Carabas.
La Jeune Fille emmurée.
Des plaintes dans la nuit.
La Lampe ardente.
Le Drame de L'Étang-aux-Biches.
La Villa des Serpents.
Les Seigneurs Loups.
L'Enfant mystérieuse.
Sous l'œil des brahmes.
Le Rubis de l'émir.
L'Ondine de Capdeuilles.
La Louve dévorante.
L'Accusatrice.
Le Roseau brisé.
L'Orpheline de Ti-Carrec.
Gwen, princesse d'Orient.
Le Repaire des fauves.
Aélys aux cheveux d'or.
L'Orgueil dompté.
Un amour de prince.
Ourida.
Salvatore Falnerra.
Pour l'Amour d'Ourida.
La Biche aux bois.
Hoëlle aux yeux pers.
La Fée de Kermoal.
Annonciade.
Le Sphinx d'émeraude.
Bérengère, fille du roi.
Lysis.
L'Illusion orgueilleuse.
Les Deux Fraternités.
La Colombe de Rudsay-Manor.
Le Feu sous la glace.
Ahélya, fille des Indes.
Le Roi des Andes.
Fille de Chouans.
Anita.
Sainte Nitouche.
Une Mésalliance.
Le Sceau de Satan.

DELLY

LES DEUX FRATERNITÉS

LIBRAIRIE JULES TALLANDIER
17, rue Remy-Dumoncel, PARIS (XIVe)

LES DEUX FRATERNITÉS

CHAPITRE I

Il venait de s'arrêter devant le magasin d'un tapissier décorateur. Derrière l'immense vitre, sous la clarté intense et douce répandue par les ampoules électriques, des meubles étaient disposés avec art, de jolis meubles d'une élégance raffinée, chiffonniers de bois précieux aux incrustations légères, charmants petits bureaux bien faits pour les correspondances frivoles, fauteuils Louis XVI d'une grâce exquise, recouverts d'admirables soieries... Et d'autres soieries encore, d'un rose délicieusement passé, d'un vert très pâle, d'un blanc d'ivoire, des soieries brochées, d'autres rayées et semées de fleurettes, formaient un chatoyant et luxueux décor à cette exposition d'un des plus « selects » magasins des boulevards.

La lumière qui mettait en valeur toutes ces élégances éclairait aussi des pieds à la tête le curieux arrêté à la devanture. C'était un jeune homme, vêtu en ouvrier aisé. Grand et fort, il avait un visage accentué, une barbe brune épaisse et légèrement frisée. Ses paupières étaient en ce moment un peu abaissées, ne laissant qu'à demi apercevoir le regard... Mais quelle expression d'envie, d'amertume haineuse se lisait sur cette physionomie !

Un jeune couple, descendant d'un élégant coupé, entra dans le magasin ; les paupières de l'homme se soulevèrent, laissant voir des yeux clairs qui donnaient à ce visage une vive expression d'intelligence. Ils suivirent, à l'intérieur, les arrivants : lui, un bel homme à l'air sérieux et très aristocratique ; elle, une toute jeune femme brune, fort jolie, habillée avec une élégance sobre. On s'empressait autour d'eux, ils étaient évidemment des clients de marque... Et l'œil clair de l'ouvrier s'imprégnait de haine et d'envie, sa bouche aux lèvres épaisses se crispait nerveusement...

— Malheur !... quand est-ce qu'on les démolira tous, ces riches ! siffla-t-il entre ses dents serrées.

Il eut tout à coup un petit sursaut en sentant une main se poser sur son épaule.

— Tiens, je ne me trompe pas, c'est toi, Prosper ! disait en même temps une voix sonore.

Il se détourna et se trouva en face d'un jeune ouvrier, un gentil garçon à la mine ouverte et au regard très droit.

— Ah ! c'est toi, Cyprien !

— Mais oui... Tu te balades par ici, toi ! Il n'y a donc plus de travail chez Vrinot frères ?

Prosper leva les épaules en grommelant.

— Je prends du congé quand ça me plaît... et puis s'ils ne sont pas contents...

Un geste expressif acheva sa phrase.

— Ils te remercieront un de ces jours, mon vieux, et ce serait dommage, car tu es bien payé !

— Bah ! je trouverai ailleurs !... Mais je veux être libre, libre de travailler un jour et de me promener le lendemain si ça me dit. J'en ai assez d'être courbé comme un esclave sous la volonté des patrons, de peiner pour les enrichir, tandis que je reste, moi, aussi pauvre que devant ! Il est grand temps que nous balayions tout ça, nous autres, les prolétaires, qu'on exploite et qu'on méprise !

Il prononçait ces mots d'un ton bas, où vibrait une sourde haine.

Cyprien eut un énergique haussement d'épaules.

— Cette bêtise !... Tu auras beau faire, toi et tous les imbéciles qui te tournent la cervelle, il y aura toujours des pauvres et des riches tant que le monde existera !

— Ça m'est égal, si ce sont les riches d'aujourd'hui qui deviennent les pauvres de demain et nous autres qui prenons leur place.

— Vas-y voir !... Il y aura toujours des travailleurs, des malins, des débrouillards ou des chanceux qui sauront redevenir riches comme avant, et des paresseux, des incapables ou des prodigues qui perdront tout ce que leur aura fait gagner ta fameuse révolution sociale, en admettant qu'ils y gagnent quelque chose ! Tiens, toi, en ce moment, si tu étais au travail au lieu de flâner comme un rentier, tu aurais gagné une bonne journée, tu la mettrais de côté, ça te ferait un commencement d'économie... Et si ta sœur agissait de même, au lieu de s'acheter des colifichets et des jupons de soie, crois-tu que vous en seriez plus malheureux à la fin de l'année ?

— C'est ça, se priver toujours ! dit Prosper avec colère. Zélie a bien raison, ce n'est pas moi qui leur ferai un crime d'aimer la toilette et les belles choses. Je suis tout pareil... Tiens, le sang me bout en voyant ça !

Il étendait la main vers la devanture chatoyante.

— ... Crois-tu que nous n'aurions pas aussi bien que ces aristos le droit de nous donner tout ce luxe ?

Cyprien, qui avait suivi la direction du geste de son interlocuteur, murmura :

— Tiens, c'est le marquis de Mollens !

— C'est de tes connaissances ? ricana Prosper.

— Tu tombes juste, mon vieux ! Même qu'il m'a plus d'une fois serré la main et que j'ai dîné l'autre jour avec lui !

— Blagueur !

— Ah ! tu crois que je plaisante ? M. de Mollens s'occupe beaucoup du Cercle catholique de notre quartier, il vient presque chaque dimanche nous faire une petite conférence, et il parle rudement bien, tu sais ! Puis il cause avec nous, donne quelques conseils, va visiter ceux qui sont malades et leur porter des secours ou des douceurs, selon les cas. Il a l'air un peu raide, un peu fier comme ça, mais on ne peut pas se figurer comme il est aimable et bon avec les ouvriers ! Il y a un mois, à l'occasion de son mariage avec la jolie petite dame qui est là, il nous a offert un dîner dans la grande salle du Cercle...

— Il aurait eu honte de vous recevoir chez lui, probable ? dit Prosper avec un rire sardonique.

— Ça nous aurait gênés beaucoup plus que nous n'y aurions trouvé de plaisir, tandis qu'au Cercle nous sommes tous chez nous, en famille, Ç'a été une jolie petite fête, et lui était gai et content au milieu de nous, tout comme s'il n'avait pas hâte d'aller retrouver sa gentille petite femme. Pour un bon riche, c'est un bon riche !... Je ne te dis pas qu'ils sont tous comme ça, oh ! malheureusement non, mais enfin il y en a... et il faudrait savoir ce que nous ferions, nous autres, si un jour la fortune nous tombait du ciel.

Le regard de Prosper se posa sur les meubles luxueux ; une lueur avide y brilla une seconde.

— Toi, naturellement, le socialiste, tu partagerais avec les frères ?

Il y avait dans le ton de Cyprien, une nuance d'ironie que perçut fort bien Prosper, car son front se plissa violemment.

— Rira bien qui rira le dernier ! dit-il entre ses dents. Quand nous serons les maîtres, les choses marcheront mieux qu'aujourd'hui !

— Hum ! dit Cyprien avec un sourire d'incrédulité railleuse. Ce qu'on en voit déjà n'est pas très encourageant.

— Tu n'y connais rien, tu n'es qu'un calotin, hypnotisé par les curés et les aristos ! Nous te ferons heureux et libre malgré toi.

— Merci bien !... mais je ne demande rien, car j'ai du travail, de la bonne volonté, je gagne bien, mes patrons paraissent assez contents de moi, et j'espère avoir bientôt une bonne petite ménagère, bien sérieuse et même pieuse. Comme je sais que le bonheur complet n'est pas de ce monde, ma foi, j'en prends ce que la Providence veut bien m'en donner, j'aurai le reste là-haut.

— Calotin !... Jésuite !

Cyprien l'enveloppa d'un regard de pitié.

— Si tu crois me dire des injures, mon pauvre vieux !... Allons, bonsoir, je m'en vais, car nous finirions peut-être par discuter trop fort. Nos idées sont tellement dissemblables !... Donne le bonjour de ma part à Zélie. Voilà longtemps que je ne l'ai rencontrée.

Il tendit sa main que Prosper serra faiblement et s'éloigna d'un pas vif.

— Espèce d'imbécile ! marmotta Prosper.

Il jeta un dernier coup d'œil sur l'élégante devanture et sur les aristocratiques clients du grand tapissier et reprit sa flânerie le long des boulevards. Son regard jaloux et haineux enveloppait au passage les riches équipages, les automobiles luxueuses ; il s'arrêtait, fasciné et avide, devant les vitrines éblouissantes des joailliers, celles des grands confiseurs et des fleuristes en renom ; il effleurait avec une rage envieuse les acheteurs dont il apercevait à l'intérieur les silhouettes élégamment vêtues.

Une petite pluie fine se mit à tomber, et il se décida enfin à hâter le pas. Bientôt, il quitta les grands quartiers luxueux pour d'autres de plus modeste apparence, puis ce furent les rues populaires, bordées de maisons aux nombreuses fenêtres mal éclairées, avec leurs petites boutiques dont des devantures ne rappelaient que de fort loin celles qui laissaient encore une fascination au fond du regard de Prosper. Le jeune homme s'arrêta devant la porte d'un marchand de vin, parut se consulter un moment, puis ouvrit et entra dans la salle où plusieurs groupes d'ouvriers étaient attablés devant des apéritifs divers où dominait le vert trouble de l'absinthe.

— Tiens, Louviers !... Tu arrives bien, nous allons faire une manille !

— Une verte, hein ! mon petit ?

— Tu blagues, Miron ? Tu sais bien que ça lui tourne sur le cœur ?... Monsieur est de la ligue antialcoolique !

Un gros rire secoua les assistants, et Prosper, riant aussi, s'écria :

— Pas de crainte ! Ce n'est pas une raison parce que l'alcool ne me va pas pour que j'empêche les camarades d'en prendre. Nous sommes pour la liberté, nous autres, hein ! les amis ?

— J'te crois ! dit un grand blond dont la langue s'empâtait déjà. Nous ne sommes pas des bourgeois qui s'empiffrent tout en voulant empêcher le peuple de s'amuser ! Vive la liberté !... et à bas les riches !

— Bien parlé, Paulin !... Allons, je paie une tournée. Nous boirons à l'avènement de la sociale, à l'écrasement des bourgeois, au règne du prolétariat et au partage de l'infâme capital. Ça va ?

— Ça va !... Vive Louviers ! Vive la sociale !

— Ah ! quand donc verrons-nous tout ça ! soupira un gros homme qui avait l'alcool mélancolique.

— Bientôt, va, mon vieux ! dit Prosper en lui frappant sur le ventre. Nous démolirons toute cette vieille société pourrie et nous mettrons à la place quelque chose de neuf, de chic... je ne te dis que ça ! Ce sera la grande fraternité universelle, le bonheur pour tous. Plus de riches, plus de pauvres, tous égaux !

Depuis qu'il était entré, il se trouvait le centre de cette petite réunion d'ouvriers. Evidemment, il exerçait sur eux un certain ascendant... Et qui l'aurait entendu parler, d'une voix sonore, en phrases redondantes et creuses, déclamer des menaces aux patrons ou prédire d'un air inspiré la domination prochaine du prolétariat, aurait compris l'influence que ce jeune homme intelligent, visiblement assez instruit et doué d'une sorte d'éloquence entraînante, exerçait sur ces hommes de mentalité moindre, bien préparés déjà par les théories de leurs journaux ou des réunions socialistes, et dont l'alcool annihilait la volonté et la faculté de réflexion.

Quand Prosper Louviers, au bout d'une

heure, se leva pour se retirer, il embrassa d'un rapide coup d'œil ceux qui l'entouraient, tous plus ou moins allumés... Et dans les yeux pâles du jeune homme demeuré seul en possession de toutes ses facultés passa une lueur où se mêlaient le dédain, la satisfaction orgueilleuse, l'ambition sourde... Il sortit du débit de vin et se remit en marche sous la même petite pluie fine que tout à l'heure. Bientôt, il prit une rue transversale, la longea cinq minutes et entra sous la voûte d'une porte cochère. Il traversa la cour encombrée de barils, entourée de quatre corps de logis aux fenêtres nombreuses, la plupart éclairées à cette heure qui était celle du repas... Prosper, louvoyant dans la presque obscurité entre les barils, en homme habitué aux aîtres, se dirigea vers le bâtiment de droite et entra dans un étroit couloir au sol de brique effritée, aux murs écaillés par l'humidité.

Plusieurs portes se faisaient face. L'une d'elles s'ouvrit au moment où Prosper passait ; deux femmes apparurent : l'une, d'une quarantaine d'années peut-être, petite et chétive, son visage fatigué et très doux encadré entre les tuyaux d'un bonnet noir ; l'autre, une jeune fille grande et mince, mise comme une modeste ouvrière, et dont les cheveux d'un blond foncé, très simplement relevés, auréolaient un fin visage au teint clair et aux yeux graves.

— Bonsoir, mesdemoiselles, dit au passage Prosper en soulevant sa casquette.

— Bonsoir, monsieur Louviers.

Il s'engagea dans l'escalier étroit, aux marches

usées, et s'arrêta au troisième étage. Il sortit une clé de sa poche, l'introduisit dans la serrure et entra, après avoir frotté une allumette. Il se trouvait dans une pièce basse, grande, où se voyaient, outre un fourneau et une vaste table, une armoire et un lit en merisier d'assez piètre apparence. Il régnait dans cette chambre un grand désordre : des assiettes, des verres non lavés s'étalaient encore sur la table, des souliers éculés et de piteuses savates traînaient sur le sol carrelé.

— Brr ! on gèle ici ! murmura Prosper après avoir allumé la petite lampe à pétrole. Y a pas de crainte que cette satanée Zélie rentre un peu plus tôt pour chauffer le poêle !

En grommelant il se mit en devoir d'allumer le petit fourneau. De temps à autre, il bougonnait.

« Ah çà ! va-t-elle rentrer ? C'est pourtant pas mon affaire de m'occuper de ça !... Mais elle a une façon de mettre tout sur les bras des autres, celle-là !... Sûr qu'elle n'a pas été retenue à l'atelier. Mais elle aura été voir les étalages des boulevards, se remplir d'envie jusque-là... comme moi, pardi ! Ah ! elle est bien ma sœur, celle-là ! Elle ne sera pas la dernière à prendre sa part dans la grande distribution. »

Le fourneau rouflait maintenant. Prosper jeta sa casquette sur le lit et se mit à marcher de long en large, les mains dans ses poches, le front profondément plissé.

Il s'arrêta tout à coup devant la fenêtre où pendait un lambeau de rideau brodé. Son regard se dirigea vers le bâtiment qui lui faisait face, de l'autre côté de la cour ; il se posa sur une fenêtre dont le rideau relevé laissait voir une svelte silhouette féminine penchée vers un fauteuil où se distinguait une vague forme humaine. C'était la jeune fille blonde que Prosper avait saluée au passage.

La physionomie de l'ouvrier s'était adoucie, s'imprégnait d'une sorte d'émotion...

« Ce qu'elle est gentille, cette Micheline !... non, de plus en plus ! Si ça n'avait pas été qu'elle ne veut pas entendre parler de se débarrasser de sa mère en la plantant dans un hospice quelconque, je connais quelqu'un qui n'aurait pas demandé mieux que de la conduire devant M. le maire... Travailleuse, sérieuse... Ah ! pour ça, oui ! Il ne faut pas s'aviser de plaisanter avec elle et de lui faire des compliments ! Trop bigote, par exemple... Mais je lui aurais fait passer ça. Dommage qu'elle ait sa mère sur le dos ! »

Une clé grinça dans la serrure, la porte s'ouvrit, livrant passage à une grande belle fille brune, vêtue avec recherche, et dont les traits rappelaient ceux de Prosper, en plus affinés seulement.

Le jeune homme se détourna en disant d'un ton de mauvaise humeur :

— Ah ! te voilà enfin ! Pas bête, Zélie ! Tu arrives pour trouver le logis bien chaud... Et tu comptais peut-être que ton frère allait préparer le dîner, de façon que tu n'aies plus qu'à te mettre à table ?

Elle haussa brusquement les épaules.

— Avec ça que c'est dans tes habitudes d'être si complaisant ! Tu as allumé le fourneau parce que tu avais froid, tout simplement !... Je te connais, va, mon bonhomme !

Elle se mit à rire ironiquement et entra dans la pièce voisine. Elle en ressortit peu après, débarrassée de son chapeau et de sa jaquette, un tablier à carreaux clairs orné d'un volant noué autour de sa taille mince.

Prosper s'était assis près de la table et battait la mesure sur une assiette.

— Tu as dîné, naturellement ? dit sa sœur en se dirigeant vers un petit buffet de bois blanc.

— Oui, j'ai cassé une croûte chez Mariot. Je sais qu'il ne faut guère compter sur toi pour trouver quelque chose en arrivant ici, dit sèchement Prosper.

Elle répliqua avec calme, tout en se penchant pour ouvrir le buffet :

— Tu as raison... Chacun doit garder sa liberté et ses coudées franches, et il ne me conviendrait nullement de me gêner pour que tu trouves tout prêt en arrivant. Les hommes sont de grands égoïstes, mais ce n'est pas moi qui flatterai ce défaut, je t'en réponds !

Elle avait une voix nette et brève, qui s'accordait bien avec sa physionomie décidée, un peu dure, et ses mouvements assurés.

— Oh ! je m'en doute, dit ironiquement Prosper. Tu feras bien de trouver un mari qui se laisse conduire, sans ça !...

Elle se détourna, une assiette à la main, sa lèvre soulevée par un sourire moqueur.

— N'aie pas peur, je saurai choisir... Du reste, je ne suis pas pressée, j'aime trop ma liberté.

Elle s'approcha, repoussa les assiettes non lavées et attira à elle une miche de pain entamée.

— J'ai été prendre un bouillon en sortant de l'atelier, ce qui m'a permis d'attendre... Veux-tu manger un peu ? J'ai rapporté de la charcuterie ; il est trop tard pour faire la soupe.

Il inclina la tête en signe d'assentiment et se coupa à son tour une tranche de pain.

— Tu as été te promener sur les boulevards ? interrogea-t-il en attirant à lui le papier sur lequel s'étalaient des tranches de saucisson et de galantine.

— Oui, j'ai été m'emplir les yeux de merveilles et le cœur de fiel contre ces misérables riches !

Prosper eut une sorte de rictus.

— Comme moi... Nous nous disputons quelquefois, Zélie, mais cela n'empêche qu'au fond nous avons les mêmes idées, les mêmes désirs...

— Et les mêmes haines ! acheva-t-elle sourdement. Dire que nous travaillons pour tous les bourgeois, que leur luxe est fait de nos privations !... Misère ! Quand écraserons-nous tout ça ?

Et sa main eut un geste si brusque qu'une assiette posée près d'elle glissa à terre et se brisa sur le sol carrelé.

— Casse pas la vaisselle, ma petite ! C'est pas les bourgeois qui nous en payeront d'autre...

Un coup frappé à la porte l'interrompit. Zélie se leva et alla ouvrir.

— Tiens, c'est toi, Cyprien !

— Moi-même, en chair et en os, cousine. La concierge m'a demandé en passant de vous remettre cette lettre, qui est pour Prosper et pour toi.

— Une lettre ?... Tiens, de qui donc ? Merci, Cyprien. Entres-tu un instant ?

— Non, il est un peu tard, je te remercie, Zélie. Bonsoir, tous les deux.

— Bonsoir, Cyprien, répondirent le frère et la sœur.

Zélie referma la porte et revint vers la table. Prosper demanda, tout en piquant son couteau dans une tranche de saucisson :

— De qui, la lettre ?

— Connais pas... Une grande enveloppe... timbrée de Paris. C'est adressée à M. et Mlle Louviers...

— Eh bien ! ouvre, dit Prosper, la bouche pleine. Ou bien donne, si tu veux.

Zélie prit un couteau, fendit l'enveloppe et en sortit une feuille de papier.

— Il n'y en a pas long... Ça vient de chez un notaire...

— Un notaire ! dit Prosper, soudain très intéressé, en laissant tomber le morceau de pain qu'il tenait à la main. Lis vite !

Monsieur, si votre sœur et vous êtes bien les neveux de Jean-Martin Louviers, qui émigra tout jeune en Amérique du Sud, vous êtes priés de vous rendre demain à mon étude, où j'aurai une communication à vous faire. Ayez soin d'apporter toutes vos pièces d'identité et tous les papiers relatifs à votre famille que vous pouvez posséder.

— Eh bien ! qu'est-ce que ça signifie ? s'exclama Prosper. Une communication ?... Un héritage, peut-être ?

— Un héritage !

Les yeux noirs de Zélie étincelaient.

— Le cousin aura fait fortune là-bas... Il est mort, et nous sommes ses seuls héritiers...

— Peut-être, murmura Zélie.

Ils se regardèrent, un espoir ardent au fond de leur regard.

— Oh ! si cela était ! dit Zélie d'un ton de sourde passion.

— Je voudrais être à demain ! murmura Prosper en repoussant les victuailles éparses devant lui. Ce que la nuit va me paraître longue !

Il prit la lettre, la lut à son tour, en s'arrêtant longuement, comme s'il cherchait à deviner entre les lignes...

Zélie avait appuyé ses coudes sur la table et réfléchissait, les paupières abaissées, la tête un peu penchée.

Elle la releva tout à coup et dit d'un ton bref :

— Tu sais, Prosper, pas un mot de ça aux gens d'ici... Pas même à Cyprien. On n'a pas besoin de connaître nos affaires...

— Oh ! n'aie pas peur, ma petite. C'est tout à

fait mon avis... Mais que je voudrais être à demain !

— Et moi donc ! murmura Zélie en enfonçant ses mains longues et fines dans son épaisse chevelure crépelue.

CHAPITRE II

Micheline Laurent était passementière. Elle vivait dans une mansarde du cinquième étage, avec sa mère, sourde, infirme de tous les membres, malheureuse créature dont l'intelligence avait sombré dans l'alcoolisme. De cette terrible passion, le père de Micheline était mort huit ans auparavant, alors que l'enfant atteignait ses quatorze ans.

Micheline avait été élevée jusqu'à dix-huit ans à la campagne, chez une sœur de sa mère, excellente femme qui avait fait de sa nièce une fervente chrétienne et une habile ouvrière comme elle. Mais la bonne tante Louise était morte, et la mère, qui habitait Paris, était arrivée aussitôt pour emmener sa fille et surtout pour mettre la main sur les petites économies que Louise Blanchet laissait à sa nièce.

Micheline avait vite trouvé du travail à Paris. Pendant qu'elle était à l'atelier, sa mère s'adonnait plus que jamais à son vice dégradant, et lorsque la jeune fille, le cœur brisé de douleur, risquait quelques observations pleines de douceur et de respect, elle se trouvait assaillie d'injures et souvent de coups. Mais, un jour, la malheureuse femme était tombée raide dans la rue. Depuis lors, elle était demeurée cette pauvre chose sans pensée, sans raison, qui passait ses journées dans un vieux fauteuil, près de la table où s'étalaient les passements utiles à Micheline. Car la jeune fille avait dû quitter l'atelier. Sa mère ne pouvait demeurer seule, il lui fallait une surveillance et des soins presque incessants. Micheline travaillait donc en chambre maintenant, et elle faisait encore d'assez bonnes journées, car elle était une experte ouvrière. Mais les dépenses étaient lourdes, l'infirme, chez qui n'existaient plus que les appétits matériels, absorbait une étonnante quantité de nourriture. Micheline arrivait tout juste à ne pas avoir de dettes, elle ne pouvait rien économiser pour les imprévus.

Mais, de même qu'elle avait enduré avec une admirable force chrétienne l'humiliation et la douleur que lui causait l'état dans lequel se trouvait si souvent sa malheureuse mère, de même qu'elle n'avait cessé de l'entourer de soins et de respect, ainsi, aujourd'hui, elle montrait un courage, une résignation, une tranquille confiance en la Providence qui faisaient la secrète admiration des directrices du patronage où elle se rendait parfois le dimanche, lorsqu'une voisine, brave femme peu ingambe, venait tenir compagnie à l'infirme.

Micheline était une belle petite nature, intelligente et profondément dévouée. Chez elle, les plus nobles pensées étaient chose habituelle... Et ce sérieux, cette élévation de son âme se reflétaient sur son joli visage, donnaient à sa physionomie, à son allure cette réserve grave et fière qui imposait aux plus hardis complimenteurs.

Ce matin-là, Micheline descendit vers neuf heures, afin de faire ses petites provisions. Au retour, elle se heurta presque sous la voûte de la porte cochère à Cyprien Mariey, le jeune ouvrier électricien, cousin des Louviers, qui occupait une petite chambre au-dessus du logement de ceux-ci.

— Oh ! pardon, mademoiselle ! dit-il en soulevant sa casquette avec empressement. Je m'en allais un peu vite, rapport à l'heure... Comment va Mme Laurent ?

Un contentement ému brillait dans son regard loyal... Et, au teint un peu pâle de Micheline, une flambée rose était montée soudain.

— Ni mieux ni plus mal, monsieur Mariey, je vous remercie.

— Allons, tant mieux ! Je me sauve vite, car...

Il s'interrompit et s'exclama :

— Tiens ! vous voilà en toilette aujourd'hui !... et à cette heure !

Ces paroles s'adressaient à Prosper Louviers et à sa sœur qui apparaissaient sous la voûte, sortant de la cour. Le jeune homme avait un complet foncé et un chapeau mou légèrement défraîchi ; Zélie arborait sa toilette des dimanches, une robe de petit lainage d'un bleu doux enjolivé de ces coquettes garnitures dont sait si bien se parer l'ouvrière parisienne.

Le frère et la sœur avaient eu dans le regard la même lueur de contrariété à la vue de Cyprien et de Micheline.

— Oui, nous allons voir quelqu'un... le cousin Robin, qui est de passage à Paris et qui nous a écrit pour que nous allions lui dire bonjour, répondit Zélie avec calme.

— Et toi, tu t'en vas bien tard au travail, aujourd'hui ? dit Prosper, dont le regard un peu irrité avait glissé de son cousin à Micheline, qui s'éloignait après avoir répondu au bonjour du frère et de la sœur.

— J'ai été malade cette nuit et je me suis un peu reposé ce matin. Comme je n'ai pas l'habitude de manquer pour la frime, le contremaître ne dira rien, et...

Quelqu'un entrait sous la voûte. Cyprien se découvrit avec un empressement respectueux, et Prosper souleva machinalement son chapeau, tout en enveloppant d'un coup d'œil surpris la jeune femme brune et svelte qui passait auprès d'eux, charmante et aristocratique dans son très simple costume tailleur, un modeste chapeau foncé ombrageant son délicat visage doux et grave.

— Qui est-ce, Cyprien ? demanda Zélie, dont le regard soudain durci suivait l'étrangère qui avait gracieusement incliné la tête en réponse au salut de Cyprien.

— C'est Mme de Mollens... Mlle Césarine m'a appris justement ce matin qu'elle venait tous les jours ici pour panser la vieille Leblanc et faire la lecture du journal au père Mathieu.

— Ah ! oui, la femme de ton marquis ! dit Prosper d'un ton gouailleur. Il me semblait bien la reconnaître... Encore une manière de poser, ça !

Cyprien lui jeta un coup d'œil de travers.

— Souhaite qu'il y ait beaucoup de poseuses comme celle-là !... Si tu crois que ça doit être amusant pour elle de quitter son hôtel pour s'en aller dans des chambres plus ou moins propres soigner une pauvre rabâcheuse comme la mère Leblanc ou répéter plusieurs fois la même phrase au père Mathieu qui ne comprend plus très bien ! Elle pourrait faire comme tant d'autres de son monde, se lever à midi après avoir passé la nuit au bal, courir les beaux magasins, se promener au bois et faire admirer ses toilettes. Mais M. de Mollens n'aurait pas pris une femme dans ce genre-là, il a choisi celle-ci, qui est un ange, au dire de tous ceux qui l'approchent.

— Un ange qui a une voiture à deux laquais et qui va s'acheter des meubles dans un des plus chics magasins de Paris ! ricana Prosper.

— Eh bien ! qui est-ce qui en profite ? Qui est-ce qui a fait ces meubles-là ? Des ouvriers, dont c'est le gagne-pain. Alors, s'il n'y avait plus de riches, qu'est-ce qu'ils feraient, ceux-là ? Et Mme de Mollens se trouve obligée par sa position d'avoir un certain train de maison. Mais je sais, par un des domestiques du marquis, qu'elle le réduit le plus possible et qu'il n'y a personne de plus simple, de plus modeste qu'elle... Et bonne pour ses serviteurs, paraît-il.

— Une perfection, quoi ! dit Zélie d'un ton acerbe. C'est facile, du reste, quand on a de l'argent, de faire la généreuse et la charitable !

— N'empêche qu'il n'en manque pas qui le gardent pour eux seuls, leur argent !... Mais vous me faites bavarder et je me retarde. Au revoir, les cousins !

Il s'éloigna d'un pas alerte, tandis que Zélie et Prosper sortaient à leur tour et prenaient la direction opposée.

— Ce calotin de Cyprien a toujours la bouche pleine des mérites de ses curés et des aristos ! dit Prosper en levant les épaules. S'il y en avait beaucoup comme lui, les prolétaires redeviendraient les esclaves de ces gens-là, qui font mine d'être les amis du peuple pour mieux l'asservir et l'exploiter. Mais, heureusement, il n'y a rien à craindre. Nous autres, les socialistes, gagnons chaque jour du terrain, et nous pouvons déjà saluer l'aurore de la grande émancipation du peuple, de la ruine de l'odieux capital, du partage entre tous les hommes devenus véritablement frères, sans aucune barrière sociale !

— Parle pas si haut ! dit Zélie en lui cognant le coude. Tu n'es pas devant les camarades, voyons ! Il ne faut pas faire retourner les gens... Mais que je voudrais donc être déjà chez ce notaire ! Sûr, Prosper, que ça doit être rapport à un testament !

— Ça me paraît probable... Mais le tout est

de savoir si la somme est grosse. Si c'était... hein ! Zélie, cent mille francs ?

Les prunelles de Zélie eurent une lueur ardente.

— Tais-toi !... je ne veux pas imaginer... j'ai trop peur d'une désillusion. Mais ce que le cœur me bat, vois-tu !

Le notaire demeurait dans une vieille rue de la rive gauche. Le frère et la sœur s'arrêtèrent devant une ancienne maison, franchirent la porte cochère et, sur l'indication du concierge, montèrent au premier étage.

Dans la pièce où ils entrèrent, un clerc vint au-devant d'eux. Prosper présenta la lettre reçue la veille. Le clerc dit aussitôt :

— Me Dubian va vous recevoir immédiatement.

Il ouvrit une porte et fit entrer les jeunes gens dans un vaste et sévère cabinet. Un homme âgé, qui se tenait debout devant le bureau en feuilletant un dossier, se tourna vers eux en les enveloppant d'un pénétrant regard.

— Monsieur Prosper et mademoiselle Zélie Louviers ? dit-il en saluant.

Ils répondirent affirmativement et, sur son invitation, s'assirent, tandis que lui-même prenait place devant le bureau.

— Vous êtes bien les neveux de Jean-Martin Louviers ?

— Oui, monsieur, déclara Prosper. Jean-Martin était le frère cadet de mon père. Comme ses parents l'accablaient de mauvais traitements, il obtint d'eux, vers ses dix-huit ans, la permission de partir avec un autre ouvrier plus âgé pour l'Amérique du Sud. Pendant quelque temps, il donna de ses nouvelles, puis on n'en entendit plus parler. Mes grands-parents ne s'en inquiètèrent pas, ils n'aimaient que mon père, et celui-ci n'avait aucune affection pour son cadet.

— Alors, vous ne savez pas du tout ce qu'est devenu votre oncle ?

— Absolument pas, monsieur. Est-ce que... vous en auriez entendu parler ?

Au lieu de répondre directement, le notaire demanda :

— Je serais désireux de voir les pièces d'identité que vous avez dû m'apporter.

Il lut soigneusement les papiers remis par Prosper, feuilleta de nouveau le dossier ouvert devant lui et dit enfin :

— Oui, vous êtes bien les neveux de Jean-Martin... Par conséquent, ses seuls héritiers.

Ils eurent tous deux un tressaillement.

— Ah ! l'oncle est mort ? dit Prosper, dont les pommettes s'empourprèrent.

— Oui, il y a plusieurs mois, à Buenos Aires. Comme il ne laissait pas de testament, il a fallu faire des recherches. Un confrère de là-bas m'en a chargé et j'ai pu découvrir votre existence.

— Et alors... nous héritons, dit Zélie d'une voix un peu haletante.

— Mais oui, vous êtes ses plus proches parents... Une belle fortune... Environ six cent mille francs...

— Six cent... balbutia Prosper, devenu pourpre.

Quant à Zélie, elle semblait soudainement changée en statue de la stupeur, et son regard incrédule se posait sur le notaire, qui continuait, en homme habitué à de pareilles surprises :

— M. Louviers avait fait sa fortune dans l'élevage. Elle était beaucoup plus considérable autrefois, mais il se maria, et sa femme en engloutit la plus grande partie. Le reste y serait passé aussi sans la mort de cette prodigue... Tout est en excellentes valeurs. Aussitôt que seront bien établis vos droits, je m'empresserai de vous mettre en possession de l'héritage.

Zélie commençait enfin à croire à cette fantastique réalité. Maintenant une joie folle brillait dans ses yeux noirs...

Et Prosper avait un peu l'air d'un homme grisé, tandis qu'il écoutait la voix nette et froide du notaire lui indiquant les formalités à remplir.

— Je vous prierai de revenir dans deux jours, j'aurai sans doute quelques renseignements à vous demander... Je ne veux pas vous retenir plus longtemps, monsieur et mademoiselle.

Ils se levèrent, prirent congé du notaire et sortirent, un peu comme des automates.

Une fois dehors, Prosper murmura :

— Dis donc, ce n'est pas un rêve, Zélie ?

— Eh ! pardi non ! fit-elle d'une voix tremblante de joie. C'est bien nous, Prosper... nous qui allons avoir cette fortune... Comprends-tu, nous allons être riches !... Riches, nous aussi !

Elle avait pris le bras de son frère et le serrait avec une sorte de frénésie.

— Tu parlais de cent mille francs !... Ah ! quelle misère, mon petit ; pour un peu, nous serions millionnaires !

— Allons, parle pas si haut, c'est pas la peine que tout le monde soit au courant de nos affaires, dit Prosper, se ressaisissant enfin et jetant un coup d'œil autour de lui.

— Tu as raison... Mais je voudrais bien m'asseoir, j'ai les jambes comme coupées !

— Viens par ici, alors, on va tâcher de se remettre.

Il l'entraîna vers le Luxembourg, tout proche. Ils se laissèrent tomber sur un banc et demeurèrent quelque temps silencieux, ahuris encore, comme écrasés, une sorte d'ivresse au fond de leurs prunelles.

— Non, je ne peux pas m'imaginer que c'est nous... que c'est nous ! murmura enfin Prosper en passant la main sur son front.

Zélie reprenait peu à peu possession d'elle-même, sa tête se redressait, son regard brillait d'orgueil et de bonheur...

— Il n'y a pas de doute, Prosper, nous sommes bien les neveux de Jean-Martin Louviers. L'héritage est à nous... Plus d'atelier, plus d'usine ! Moi qui passais toutes mes journées devant une table à monter des fleurs pour garnir les chapeaux des bourgeoises riches, je m'en payerai maintenant sans travailler !

— Et les frères Vrinot me fabriqueront une auto ! ajouta Prosper en rejetant en arrière son chapeau d'un geste fiévreux. Non, ce qu'on va les épater tous !

Zélie appuya son menton sur sa main et réfléchit quelques instants. Puis, levant les yeux vers Prosper :

— Dis donc, tu n'as pas l'idée tout de même d'aller raconter ça aux voisins ?

— Hein ! pourquoi ?

— Hé ! grand nigaud, tu serais bien avancé ! Te rappelles-tu les ennuis du père Michaud quand il a gagné son lot de cent mille francs ? C'était à qui viendrait quémander auprès de lui.

Prosper saisit vivement les mains de sa sœur.

— Parbleu ! quelle sottise j'aurais faite ! Tu es une fille avisée, Zélie. C'est vrai qu'ils tomberaient tous sur nous comme des mouches sur du miel !

— D'autant que tu leur as bien monté la cervelle avec tes théories sur le partage du capital, dit Zélie d'un ton narquois. Qui est-ce qui serait collé s'ils venaient te demander de les mettre en pratique ?

Prosper fronça violemment les sourcils.

— Je voudrais bien voir ça ! C'est l'argent de mon oncle, je n'ai pas à le partager avec des étrangers...

— Des frères ! rectifia Zélie, toujours narquoise.

— Ah ! tu m'ennuies, dit-il avec colère. Ça fait bien en paroles... mais autrement, ce que je m'en moque !

— Et moi donc !... Allons, ne te fâche pas et

combinons quelque chose pour leur faire passer notre héritage sous le nez.

— Il n'y a qu'un moyen, ma petite : c'est de filer en douceur de la bicoque pour n'y plus revenir.

— Je suis de ton avis... Mais pour aller où ?

— Ah ! voilà !... Rester à Paris, ce serait risquer de rencontrer un copain et ça ferait des histoires... d'autant que... Ecoute, Zélie, j'ai toujours envié les types qui faisaient de la politique. C'est un chic métier qui m'irait tout à fait. Loriot, le collectiviste... tu sais, le gros qui fait des conférences, il m'a dit, un jour que j'avais prononcé un petit bout de discours : « Tiens, tiens, citoyen, tu as du bagou ; toi, tu saurais remuer ton monde !... » Et c'est vrai, Zélie, je sens que je suis fait pour ça. Mais il faudrait nous établir ailleurs, nous laisser oublier ici, faire peau neuve dans une grande ville quelconque.

Zélie fit la grimace.

— Quitter Paris... au moment où je pourrais m'y donner tant de plaisir !

— Nous y reviendrons bientôt, ne crains rien. Pour moi aussi, il n'y a que Paris. Mais, je le répète, il faut se faire oublier. Tous ces imbéciles-là seraient capables de me donner des ennuis s'ils voyaient que je leur joue comme ça la fille de l'air... Et puis, j'arriverai plus facilement à quelque chose en province.

— Et où irait-on alors ?

— Je crois que Lyon ferait l'affaire. Loriot

habite là, il accepterait peut-être de me pousser.

— Va pour Lyon, si tu crois qu'il vaut mieux ça. Seulement, tu sais, si je m'ennuie, je te plante là et je reviens.

— Mais non, tu ne t'ennuieras pas ; on verra à s'amuser et à profiter de notre argent, ne crains rien... Et puis, tu auras une assez belle dot pour faire bientôt un chic mariage.

— Oh ! il me faudra quelqu'un de huppé ! dit-elle avec un dédaigneux mouvement de tête. Un futur préfet... ou un futur député...

— Eh ! tu es ambitieuse, comme moi ! dit Prosper avec une tape amicale sur l'épaule de sa sœur. Ça va bien, on arrivera, puisqu'on a de la galette... Alors, arrangeons notre petite affaire. Nous serons obligés de retourner encore travailler jusqu'à ce que nous ayons l'argent, parce que ça semblerait drôle, comprends-tu ?

Zélie plissa les lèvres.

— C'est sûr... mais ce que ça va être assommant ! Vois-tu pas ! Etre obligé de trimer toute la journée quand on est à moitié millionnaire !

— Ça ne sera pas très long, probablement. Et puis, quand le notaire sera bien sûr que nous sommes les héritiers, il nous avancera peut-être la somme nécessaire pour notre voyage et notre installation.

Ils dressèrent ainsi tout leur plan. Intelligents tous deux, doués d'une certaine culture intellectuelle, d'un esprit net et lucide, possédant les mêmes instincts de grandeur et de luxe et le même égoïsme absolu, ils ne se trouvaient pas démontés devant cette extraordinaire aventure. De plain-pied ils entraient dans leur rôle et échafaudaient leurs combinaisons avec un sang-froid à peine traversé à certains instants par des réflexions dénotant l'ivresse sourde qui remplissait leurs âmes.

Avec l'argent restant de leur paye, ils se donnèrent le luxe d'un déjeuner fin, puis Zélie entraîna son frère vers les magasins élégants. Ils s'attardèrent longuement aux devantures, s'enivrant à la vue de ce luxe hier encore inaccessible pour eux, se grisant à l'étincellement des gemmes précieuses... Puis, lentement, bien à regret, ils revinrent vers leur quartier populaire.

— Oh ! rentrer dans cette bicoque... quand on est ce que nous sommes ! dit Zélie avec une sorte de colère en arrivant devant leur demeure.

— Tâche de ne pas prendre des airs dédaigneux, ça donnerait l'éveil, conseilla Prosper. C'est difficile, je sais bien, car on est maintenant autre chose que tous ces gens-là, mais enfin, il le faut pour le succès de notre petite combinaison.

— On fera son possible, déclara Zélie avec condescendance.

Comme ils arrivaient à la porte du corps de logis où ils habitaient, un vieux prêtre en sortait, reconduit par la petite femme en bonnet noir qui causait la veille avec Micheline Laurent quand Prosper était rentré. Le jeune ouvrier frôla le prêtre sans même soulever son chapeau en lui jetant un coup d'œil de dédain railleur.

Dans l'étroit couloir, la même porte que la veille était ouverte. Comme le frère et la sœur passaient, une forme humaine se dressa dans cette ouverture, et tous deux détournèrent la tête dans un brusque mouvement d'horreur... Le visage qui se montrait à eux était littéralement dévoré par un chancre hideux.

Ils se hâtèrent vers l'escalier et Zélie murmura avec colère :

— Cette bigote de Césarine devrait bien enfermer ses monstres ! Si ça l'amuse de peiner tout le jour pour soigner et entretenir ces gens-là qui ne sont que des étrangers pour elle, ce n'est pas une raison pour soulever le cœur des autres par la vue de ces êtres épouvantables.

— Sûr ! opina Prosper. Elle est un peu toquée, celle-là, faut croire, pour aller ramasser comme ça des infirmes, et quels infirmes !

En entrant dans leur logement, ils jetèrent un coup d'œil autour d'eux. Mépris inexprimable, triomphe, joie débordante, orgueil immense, il y avait de tout cela au fond de ce regard.

— Naturellement, on abandonnera tout ça ? dit dédaigneusement Prosper avec un geste circulaire.

— J'te crois, mon ami ! Qu'est-ce que nous ferions de ces horreurs-là, je te le demande ? On se meublera de neuf... et du cossu, tu sais ! Oh ! je m'y entendrai, compte sur moi !

Elle entra dans sa chambre, et Prosper, machinalement, s'approcha de la fenêtre.

Il eut un léger tressaillement. Du corps de logis qui lui faisait face sortait en ce moment Micheline, vêtue d'une modeste petite robe brune, un tablier bleu bien propre noué autour de sa taille, ses beaux cheveux blonds relevés avec une simplicité qui seyait au caractère sérieux de sa jolie physionomie.

— Micheline ! murmura Prosper, dont le regard s'adoucissait soudain. Quelle gentille petite femme elle ferait ! Avec des toilettes élégantes, elle aurait un chic !... autant que la petite marquise. Maintenant que je suis riche, je pourrais payer quelqu'un pour soigner sa mère...

Il appuya son front contre la vitre et s'absorba quelques instants dans ses réflexions. Puis, levant brusquement les épaules :

« Fou que je suis ! Epouser une femme sans le sou !... Avec sa mère à ma charge ! On croirait, ma parole, que je suis devenu millionnaire. Trois cent mille francs, ça ne mène pas si loin, de nos jours. Il faudra que je fasse un mariage riche, c'est indispensable si je veux arriver à quelque chose... Et puis elle est trop dévote, ça me nuirait... Ou bien il faudrait que je bataille pour la faire changer, et je ne sais encore si j'y arriverais, car elle a l'air d'avoir une grande volonté... Non, décidément, il n'y a pas à songer à pareille chose ! »

Il se mit à marcher de long en large dans la chambre, les mains dans ses poches, la physionomie un peu assombrie.

« Dommage, car elle me plaît rudement ! J'aurai peut-être un peu de peine à l'oublier... Bah ! on ne peut pas tout avoir ! » conclut-il philosophiquement en se laissant tomber sur un vieux fauteuil de paille.

CHAPITRE III

— Eh bien ! pas de nouvelles, monsieur Mariey ?

— Pas du tout, mademoiselle Césarine ! Je n'y comprends rien de rien !

— C'est bien singulier, en effet, cette disparition... Ils m'avaient paru un peu drôles quand je les ai vus sortir dimanche.

— Oui, je l'ai remarqué aussi, dit le tonnelier, un gros homme rougeaud, en s'approchant de Mlle Césarine et de Cyprien, arrêtés non loin du hangar où il travaillait. Les jours d'avant, déjà, ils n'étaient plus les mêmes. Mamzelle Zélie avait une façon de vous regarder en passant... Une impératrice, quoi ! Et Prosper semblait être dans les nuages, si bien qu'il ne voyait même pas quand on lui disait bonjour.

— Et puis, à son atelier, il paraît que Zélie ne faisait plus rien et qu'elle a répondu à la patronne qui la menaçait de renvoi : « Ne prenez pas cette peine ; les fleurs que je monterai

désormais n'encombreront pas vos cartons. »
C'est une de ses compagnes d'atelier qui a répété cela à Mlle Micheline.

— La voilà justement, Micheline, dit Mlle Césarine.

La jeune fille rentrait, son petit panier au bras. Elle demanda aussitôt :

— Vous n'avez rien appris, monsieur Mariey ?

— Non, mademoiselle. Et vous ?

— Pas grand-chose. La petite Julie Blancard, dont le frère travaillait chez Vrinot frères, m'a raconté que M. Louviers avait dit à un de ses camarades qui le plaisantait sur son air absorbé : « Mon vieux, si tu étais à ma place, je parie bien que tu n'aurais pas le courage d'être ici. » Et, comme l'autre n'y comprenait rien, il a ajouté d'un air moqueur : « Je t'expliquerai ça plus tard... quand j'aurai le temps. »

— Evidemment, ils combinaient quelque chose. Mais que signifie tout ce mystère ?...

— Une lettre pour vous, monsieur Mariey ! dit la concierge en apparaissant dans la cour.

— Ah ! merci, madame Léon !... Est-ce que c'est de papa ?... Tiens, non, on dirait l'écriture de Prosper !

Une vive curiosité se peignit aussitôt sur les physionomies... Rapidement, Cyprien fendit l'enveloppe et sortit une feuille de papier couverte de quelques lignes. Un billet de banque s'en échappa et fut rattrapé au vol par le tonnelier.

— Mais oui, c'est de lui ! dit Cyprien avec stupeur.

Il lut d'abord tout bas, puis reprit à haute voix :

Mon cher Cyprien,

Nous avons trouvé, Zélie et moi, une position très avantageuse. Comme on nous emploie aussitôt, nous ne pouvons revenir pour chercher nos meubles. Fais-en ce que tu voudras, nous n'en avons plus besoin, nous trouvant logés chez le patron. Je t'envoie de quoi payer notre terme en retard et les quelques petites dettes que nous avons dans le quartier. S'il y a du surplus, emploie-le comme tu voudras. Le patron nous paye très bien et nous a même avancé de l'argent.

Je te serre bien cordialement la main.

Prosper LOUVIERS

Un silence de stupeur régna quelques instants dans le petit groupe augmenté de voisins attirés par la lecture de Cyprien.

— Non !... ce qu'ils en ont une, de chance ! dit enfin le tonnelier en jetant un coup d'œil d'envie sur le billet bleu que tenaient toujours ses gros doigts noueux.

— Tout ça n'explique pas pourquoi ils n'ont rien dit, fit observer judicieusement Mlle Césarine.

— Vous avez raison, mademoiselle, dit Cyprien en froissant machinalement la lettre. Ça ferait penser qu'ils font quelque chose de peu avouable.

— Oh ! monsieur Mariey ! protesta Micheline.

— Dame, mademoiselle, comment expliquer autrement ? Ça me chiffonne, tout ça, ce n'est pas clair du tout.

— D'où est timbrée la lettre ? demanda le tonnelier.

— De Paris.

— Peut-être arrivera-t-on à apprendre quelque chose un de ces jours.

— J'en doute, car ils ne sont bêtes ni l'un ni l'autre, et ils auront pris toutes leurs précautions.

— Voilà M. de Mollens !

Cyprien s'avança avec empressement au-devant du marquis qui apparaissait sous la voûte.

— Bonjour, mon cher ami, dit M. de Mollens en lui tendant la main. J'avais un petit renseignement à vous demander... Mais vous avez l'air un peu bouleversé ?

— Il y a de quoi, monsieur le marquis. Il nous en arrive une drôle de chose !

Et, en quelques mots, il mit son interlocuteur au courant de la bizarre disparition des Louviers.

— Ce cousin est celui dont vous me parliez un jour... le fougueux socialiste ? demanda M. de Mollens.

— Lui-même, monsieur le marquis.

— Et vous n'avez pas idée qu'il ait pu se

produire un changement dans ses moyens d'existence ?... qu'il ait, par exemple, gagné un gros lot ?... ou fait un héritage ?

— Ma foi, non, monsieur. Il ne m'a jamais parlé qu'il ait pris un billet de loterie... Et quant à un héritage, je ne vois pas qui... Il n'a plus de parents, il me semble, en dehors d'un vieux cousin du côté de leur père, un bonhomme assez à l'aise et qui a beaucoup d'enfants. Du côté de la mère, il n'a que mon père et moi, des cousins très éloignés pour lui, du reste... A moins que le frère de son père, qui était parti pour l'Amérique... Mais on n'en entendait pas parler depuis des années et des années.

— Il a pu faire fortune là-bas et instituer vos cousins ses héritiers.

— Tiens, j'y pense, dit la concierge, il y a cette lettre que vous leur avez portée un soir, monsieur Mariey. Elle était adressée à M. et à Mlle Louviers...

— C'est vrai, je me rappelle... Et le lendemain je les ai rencontrés qui partaient en costume des dimanches. Comme je m'en étonnais, Zélie m'a répondu qu'ils allaient voir leur cousin Robin, de passage à Paris. En y réfléchissant, ça m'a étonné, parce qu'ils n'étaient pas en très bons termes avec lui... Et puis, ils avaient vraiment un air un peu singulier.

M. de Mollens posa sa main longue et fine sur le bras de l'ouvrier :

— Je vais vous dire mon avis, Mariey : vos cousins ont fait quelque bel héritage et ils ont voulu rompre complètement avec leur passé, leur entourage...

— Ah bien ! ça serait du propre ! s'écria le tonnelier. Lui qui parlait si bien sur la fraternité, sur le partage du capital...

Un fin sourire, teinté d'ironie et de tristesse, souleva la moustache brune de M. de Mollens.

— Justement, il a eu peur que vous ne lui demandiez de passer des paroles aux actes... Il a fui pour éviter d'avoir à écorner quelque peu sa fortune en faveur de « ses frères ». Je ne vois que cette explication à une si étrange conduite.

— Eh ! la canaille ! dit un jeune ouvrier au teint blême en brandissant son poing dans la direction de la rue. Il avait aussi une façon de regarder les copains depuis quelques jours ! On aurait dit qu'il se tenait à quatre pour ne pas leur tourner le dos... Et sa sœur faisait des airs, fallait voir ! Si bien que ma mère lui a dit un matin : « T'as donc gagné le gros lot, la Zélie ?... » L'autre a pincé les lèvres et lui a ré pondu en la regardant de haut en bas : « Le gros lot ?... Peuh ! je vous le laisse, si vous le voulez !... » La mère a cru à une plaisanterie, mais tout ça réuni...

— Oui, je crois que vous avez bien trouvé, monsieur le marquis, dit Cyprien. En voilà des individus !... Et de fameux socialistes, hein ! les amis ?

Le jeune ouvrier grommela quelque chose où se discernaient les mots de « traître... misérable repu » et s'éloigna avec un geste de colère.

— Ça va être une rude désillusion pour les

copains qui écoutaient si bien ses belles phrases, dit en riant le tonnelier. Il va en tomber sur lui, des malédictions !

M. de Mollens eut un léger mouvement d'épaules.

— Il est comme tant d'autres, allez, mon ami !... tout disposé à partager tant qu'il n'avait rien. Mais s'il lui est venu de l'argent, il le tiendra ferme et saura le mettre à l'abri. Les gens généreux et désintéressés n'abondent pas... dans le socialisme surtout... Voyons, Mariey, donnez-moi ce renseignement... Ah ! mademoiselle Césarine, ma femme m'a chargé de quelques douceurs pour vos pauvres protégés. J'irai les leur porter dans un instant, si vous le voulez bien.

— Mais avec grand plaisir, monsieur. Je vais les prévenir, ils vont être ravis de vous voir.

Et la vieille fille se hâta vers son petit logement, tandis que le marquis se retirait un peu à l'écart pour entretenir Cyprien.

Son renseignement obtenu, M. de Mollens demanda, avec un geste discret vers le corps de logis qui lui faisait face :

— Est-ce que ce serait à la jolie blonde qui est entrée là que vous songez, mon cher Mariey ?

Cyprien rougit comme une jeune fille.

— Oui, c'est elle, monsieur, c'est Micheline Laurent.

— Mes compliments ! Elle est charmante, et son air modeste et sérieux m'a aussitôt frappé. Alors, nous aurons bientôt un mariage ?

— Je ne lui ai pas encore parlé, monsieur.

Figurez-vous que je n'ose pas !... J'ai peur d'un refus... et alors, ça me ferait tant de peine...

— Pensez-vous vraiment qu'elle n'accepterait pas un brave garçon comme vous, bon chrétien, excellent ouvrier ?

Cyprien rougit de nouveau jusqu'aux oreilles.

— Je ne sais pas... C'est sûr que j'aurais dû lui parler déjà... Peut-être bien que je ne lui déplais pas trop...

— Voyons, mon cher ami, si nous combinions quelque chose ? Ma femme acceptera certainement de servir d'intermédiaire entre Mlle Micheline et vous, elle arrangera très vite l'affaire et vous saurez à quoi vous en tenir.

— Oh ! monsieur le marquis, quelle bonté ! dit Cyprien avec émotion. Je ne refuse pas, bien sûr ! Mme de Mollens saura lui tourner ça comme il faut, lui dire que... enfin, que je pense tout le temps à elle, que je travaillerai ferme pour lui faire la vie douce, à elle et à sa mère... car il faut bien lui dire que je prends aussi la charge de sa mère, monsieur le marquis ?

— Oui, oui, mon ami, ma femme saura lui montrer quel cœur d'or vous êtes. Allons, au revoir, et à dimanche, n'est-ce pas ? Nous aurons une fort amusante conférence d'un de mes jeunes ouvriers, et notre bon abbé prépare une petite surprise en si grand mystère que je n'ai moi-même rien pu en surprendre.

Il serra vigoureusement la main de l'ouvrier et s'engagea dans l'étroit corridor... Sur le seuil de sa porte se tenait Mlle Césarine. Elle dit avec un sourire qui rajeunit singulièrement son doux visage flétri :

— Les voilà tout joyeux, monsieur ! Les pauvres ! ils n'ont pas l'habitude de recevoir des visites ! Sans l'abbé Gaillet, Mme la marquise, qui entre quelquefois en passant, la petite Micheline Laurent et vous, monsieur, ils ne verraient pas âme qui vive en dehors de moi.

Le marquis pénétra dans une petite chambre pauvrement meublée et d'une scrupuleuse propreté. Un homme vêtu d'habits très vieux, mais fort nets, se tenait debout devant la fenêtre... Il fit un mouvement de côté, et la lumière du jour éclaira son visage — le même qui avait causé un jour tant de répulsion à Prosper et à Zélie.

Sans une hésitation, M. de Mollens alla à lui, la main tendue, un bienveillant sourire donnant une expression d'attirante douceur à sa physionomie un peu froide au premier abord.

D'un vieux petit fauteuil se leva une créature étrange, pauvre être au corps affreusement contourné, au visage d'une repoussante laideur. On n'eût su réellement quel âge lui donner. Ses yeux, singulièrement doux et expressifs, étaient ceux d'un tout jeune homme, presque d'un enfant, mais le crâne était entièrement dégarni comme celui d'un vieillard.

C'étaient ces deux êtres que Zélie Louviers appelait « les monstres de Mlle Césarine »... Et dans ce pauvre petit logis se déroulait un sublime épisode de l'histoire de la charité héroïque.

Mlle Césarine avait perdu sa mère de fort bonne heure, et elle était restée seule avec son père, homme dur, irascible, qui avait fait à sa jeunesse la plus pénible existence. Pieuse et résignée, elle ne se plaignait pas et accomplissait courageusement son devoir. Quand la paralysie cloua son père sur un fauteuil, elle le soigna avec un incomparable dévouement, malgré les rebuffades, les fureurs, les blasphèmes de cet homme aigri et révolté. Elle réussit à le ramener à Dieu avant que la mort l'enlevât... Et, quand elle fut seule, Mlle Césarine se trouva toute triste de n'avoir plus à qui se dévouer.

Alors une pensée germa en elle... Dans un bouge voisin croupissaient, au milieu de la misère la plus abjecte, un homme du nom de Lorin et son fils, un adolescent. Les malheureux vivaient comme des bêtes, objets d'horreur pour tout le quartier. Les moins délicats détournaient la tête avec répulsion devant le hideux visage du père et la monstrueuse déformation du corps de l'enfant.

Mlle Césarine alla trouver ces malheureux, elle sut calmer la farouche défiance de leur âme aigrie et, un jour, elle les installa triomphalement dans la chambre devenue inutilisée depuis la mort de son père. Elle était désormais heureuse : elle avait à qui se dévouer tout entière... Et le gain assez fort que lui procurait son habile travail de passementière servait à nourrir, à entretenir ces êtres que l'humanité rejetait, mais en qui elle, la chrétienne, avait su voir l'âme immortelle, appelée à une destinée d'autant plus haute que son enveloppe terrestre était plus misérable et plus souffrante.

Bien des gens traitaient de folle Mlle Césarine. Se charger de ces étrangers, alors que son gain lui eût permis de vivre tranquillement !... Mais d'autres admiraient et vénéraient l'héroïque créature, toujours sereine et souriante, véritable mère pour ceux qu'elle appelait « ses enfants », bien que l'un d'eux fût plus âgé qu'elle. Au nombre de ces admirateurs étaient M. de Mollens et sa femme, qui ne craignaient pas d'entrer dans le pauvre logis et d'affronter la vue de ces atroces misères physiques pour procurer un peu de contentement aux malheureux.

Le marquis avait pris entre ses mains celles du jeune homme, affreusement déformées ; il lui parlait avec cette cordialité, cette douceur souriante qu'il gardait pour sa famille et pour les humbles, car dans le monde on le trouvait très réservé et parfois un peu froid.

Lorin, le père, dit tout à coup de sa voix rauque, en posant sur M. de Mollens ses yeux à peine visibles dans la boursouflure des chairs :

— Ecoutez. Monsieur, quand j'étais un jeune homme, j'allais volontiers entendre des gens qui nous racontaient, avec de belles phrases, que la vraie, la seule fraternité était dans le socialisme, que là était pour nous le bonheur, le salut, et qu'il fallait faire le grand chambardement pour renverser toutes les vieilles histoires d'autrefois... Pourtant, qu'est-ce qui nous a secourus ?... Qu'est-ce qui nous a aimés, tout misérables que nous sommes ? Mlle Césarine, qui va à la messe et qui nous parle du bon Dieu... Le vieux curé, qui nous apporte des livres et qui n'a pas hésité à m'embrasser un jour où je lui disais : « Je suis un maudit, je ne suis pas un homme », pour me prouver qu'il me considérait comme son semblable... Vous, monsieur, et votre jolie dame, qui êtes des gens de la haute et des dévots... Mais les socialistes, qui les a vus ici ?

Mlle Césarine regardait avec stupeur son protégé. Depuis longtemps, il n'avait tant parlé. Il fallait vraiment qu'il en eût gros sur le cœur.

Le pénétrant regard de M. de Mollens se posa sur le pauvre visage de Lorin.

— Ne vous en étonnez pas, mon ami. Le socialisme veut nous ramener au paganisme... Et qu'était, aux yeux des païens, le pauvre, le déshérité de ce monde ? Qui s'en souciait, qui le plaignait et le soulageait ? Il a fallu le christianisme pour glorifier la pauvreté... C'est pourquoi Lorin, ceux qui souffrent dans leur âme ou dans leur corps ne trouveront jamais plus d'aide et d'amour que près des disciples de Celui qui a voulu naître, vivre et mourir dans la pauvreté absolue.

CHAPITRE IV

La douce lumière des lampes électriques éclairait le délicat profil de la jeune marquise de Mollens, ses abondants cheveux noirs, son cou mince que découvrait l'ouverture du corsage... car la jeune femme était en toilette de soirée, et le contraste était un peu singulier entre la vaporeuse étoffe de sa robe blanche et le tissu de très modeste apparence dans lequel ses petits doigts piquaient activement l'aiguille.

— Tu travailles donc jusqu'au dernier moment, infatigable petite Madeleine ?

Elle leva la tête et sourit à son mari qui apparaissait au seuil du petit salon, en tenue du soir lui aussi.

— Je voulais finir cela pour le porter demain à la petite Jeanne qui n'a pas de quoi se vêtir convenablement... Là, c'est fait. Est-il l'heure de partir ?

— Presque, répondit René en venant s'asseoir près de sa femme.

Elle attira à elle ses longs gants et commença à les mettre, tout en disant :

— Quel ennui que ce dîner !

— Je suis de ton avis, ma chère Mad. Mais nous ne pouvions l'éviter sans froisser nos amis... Il est bien certain que je donnerais, comme toi, toutes les réunions mondaines pour nos petites soirées à deux ou nos réunions de famille. Mais, enfin, cela fait partie de nos devoirs.

— Oui, je le sais. Aussi n'était-ce qu'une simple réflexion de ma part. Cette petite corvée est bien peu de chose en comparaison de tant d'autres ennuis !... Et puis, je suis particulièrement contente aujourd'hui à cause de ce brave Cyprien Mariey.

— Il a dû trouver tout à l'heure mon petit mot d'avertissement et il est sans doute maintenant chez Mlle Laurent.

— Quelle charmante créature que cette Micheline ! Elle m'a positivement ravie ce matin par son sérieux, son courage et sa délicatesse d'âme. Quand j'ai commencé à lui parler de M. Mariey, elle est devenue toute rose. Je me suis dit : « Ce ne sera pas difficile... » Et pourtant ça n'a pas été si facile que cela. Elle m'opposait sa crainte que M. Mariey ne trouvât un jour trop lourde la charge de sa mère : « Et, voyez-vous, madame, c'est ma mère, je ne l'abandonnerai jamais... » Il faut voir devant soi cette malheureuse créature qui n'a plus d'humain que le nom pour comprendre ce que ces paroles contiennent d'abnégation et de grandeur. Je lui ai simplement répondu : « Permettez à M. Mariey de venir vous parler, vous verrez combien il est disposé à tout faire pour vous contenter si vous voulez vous unir à lui... » Naturellement, je lui ai fait l'éloge du jeune homme. Elle connaissait, du reste, sa valeur morale, ses habitudes religieuses, et elle m'a avoué qu'il lui semblait posséder tout ce que peut désirer une femme sérieuse et chrétienne.

— Alors, tu crois que cela marchera ?

— Mais oui, puisque le jeune homme a de lui-même proposé de se charger de la mère. C'est héroïque, cela montre ce qu'il est et le degré de son attachement pour Micheline. J'ai été voir ensuite Mlle Césarine. Elle m'a parlé des cousins de Cyprien Mariey qui se sont si bizarrement envolés. Crois-tu vraiment à un héritage ?

— Cela me paraît l'explication la plus plausible, étant donné surtout le caractère des personnages, tel que me l'a dépeint Mariey. C'était fort gênant, conviens-en, d'aller dire aux amis : « Je suis riche maintenant » et de s'entendre répondre : « Partageons en frères. » La fuite était en ce cas le meilleur moyen... Ah ! quelle tristesse de voir ainsi berner ces pauvres âmes, murmura mélancoliquement M. de Mollens.

— Mlle Césarine croit que le jeune homme pensait à Micheline Laurent.

— Hum ! elle lui plaisait, cela n'a rien d'étonnant, mais je ne me figure pas le personnage en question acceptant la charge de la mère Laurent. D'ailleurs, son caractère, ses principes le séparaient complètement de cette enfant charmante et si réellement chrétienne... Voyons, es-tu prête, ma chérie ? L'heure s'avance, tandis que nous bavardons.

— Voilà, dit-elle en mettant le dernier bouton.

Elle se leva, puis, une pensée subite lui venant, elle tourna vers son mari ses beaux yeux noirs caressants et profonds.

— René, j'oubliais... j'ai une confession à te faire.

Et, posant sa main sur le bras du marquis, elle penchait un peu la tête d'un petit air contrit.

— Quelque chose de bien grave ? dit-il en riant doucement. Parlez, petite Mad.

— J'ai dépensé tout l'argent que tu m'as donné... Oh ! j'ai vu tant de misère ! Je n'ai pas pu résister, vois-tu !

Il se pencha et posa doucement ses lèvres sur les bandeaux ondulés qui encadraient le visage de la jeune femme.

— Si tu l'avais dépensé en toilettes, je te gronderais un peu, ma Madeleine chérie. Puisque c'est pour les pauvres, je te dis : recommence.

— Oh ! mon René, que tu es bon ! s'écria-t-elle d'un ton ravi. Je craignais un peu que tu ne me trouves trop prodigue... et pourtant je voulais te demander encore...

— Tout ce que j'ai est à toi, je te l'ai déjà dit. Et si un jour il arrive que nous ayons à faire des économies, ce n'est pas sur le budget de la charité que nous les réaliserons.

... A cette même heure, comme le pensait M. de Mollens, Cyprien se trouvait près de Micheline. L'accord s'était vite fait entre eux, le jeune ouvrier ayant déclaré que la mère Laurent ne les quitterait jamais. Les fiancés avaient alors fait des projets d'avenir. Cyprien avait su trouver dans son cœur de délicates paroles qui avaient charmé l'âme sérieuse de Micheline... Et l'infirme couvrait de son regard atone les deux jeune gens, elle regardait vaguement les doigts fins de Micheline qui travaillaient toujours, tandis que la jeune fille écoutait son fiancé, car la jolie passementière ne perdait jamais son temps.

Le mariage se fit un mois plus tard. M. de Mollens et sa femme furent les témoins, l'un du marié, l'autre de Micheline. La robe de la jeune épouse étant un don de Mme de Mollens, et le marquis offrit aux mariés un bon mobilier de chambre qui porta au comble leur ravissement.

Ils vinrent, le lendemain du mariage, exprimer leur reconnaissance à leurs bienfaiteurs. Un domestique les introduisit dans le cabinet de travail de M. de Mollens, où le marquis et sa femme les accueillirent avec leur habituelle cordialité.

— Eh bien ! rien de nouveau pour ces fameux cousins ? demanda M. de Mollens quand les jeunes époux se levèrent pour prendre congé.

— Rien du tout, monsieur le marquis. Oh ! c'est bien fini, maintenant ! Ils nous ont planté là carrément !... A vous dire vrai, monsieur, ça ne m'étonne qu'à moitié. Chez lui, comme chez la grande majorité de ces socialistes, il y avait surtout la question de la jouissance personnelle. S'il a maintenant de quoi vivre à son aise, les autres... eh bien ! il s'en moque un peu ! C'est là le fin fond de la doctrine de ces gens qui affolent tant de gogos par leurs phrases ronflantes et leurs appels à la haine.

— Hélas ! dit M. de Mollens avec tristesse. Mais ces malheureux ont un triple bandeau sur les yeux... Je souhaite à notre pauvre pays beaucoup de bons citoyens, de braves ouvriers comme vous, Mariey... et un très grand nombre d'excellentes chrétiennes comme vous, madame, ajouta-t-il en s'inclinant vers Micheline. Je crois que votre foyer pourra être donné comme modèle à toute notre jeunesse ouvrière, et ce sera, si vous le voulez bien, mon vœu à l'aurore de votre union.

— Merci, monsieur le marquis. C'est aussi la demande que j'ai faite à Dieu hier, au moment de prononcer le oui définitif. J'ai pu voir autour de moi tant de tristes ménages !... Oh ! oui, nous sommes heureux, Cyprien et moi, de posséder la foi ! Je voudrais, voyez-vous, l'insuffler à tant de désespérés, à tans de cœurs souffrants ou aigris que je connais !

Elle parlait lentement, d'un ton grave et vibrant où l'on sentait passer toute son âme.

Mme de Mollens se pencha vers elle et lui prit la main.

— Micheline, c'est notre tourment à nous autres chrétiens. Connaître ce qui sauverait ces âmes et ne pouvoir si souvent les atteindre !

Le doux et profond regard de Micheline enveloppa la jeune femme et son mari !

— Dieu permet que nous leur fassions parfois

un peu de bien... Et s'il y avait en France encore plus d'âmes comme la nôtre, madame, et comme celle de M. le marquis, les désespérés et les révoltés seraient peut-être moins nombreux.

Quand les jeunes époux se furent éloignés, Mme de Mollens dit pensivement en venant s'asseoir près de son mari :

— Comme cette Micheline me plaît ! Elle est réellement distinguée, cette jeune ouvrière, et quelle belle petite nature, pleine d'élévation, de délicatesse ! As-tu remarqué comme elle sait se tenir avec une charmante dignité ? Elle n'avait réellement pas l'air plus gêné ici que dans sa pauvre mansarde !

— Cela est la marque d'une nature très affinée moralement... Et elle a raison, c'est nous qui devons donner l'exemple ; c'est nous, chrétiens, élevés au-dessus de nos frères par notre position et notre fortune, qui aurons à répondre, au grand jour des justices, à la question du Maître : « Et vous, qu'avez-vous fait pour ces humbles, pour ces petits chers à mon cœur ? »

CHAPITRE V

Les pâles rayons du soleil de décembre entraient par la fenêtre ouverte et venaient éclairer la pièce assez vaste et d'une admirable propreté où Micheline circulait, occupée à préparer le déjeuner. Sur un tapis, dans un coin de la chambre, s'ébattaient deux blonds enfants de cinq et trois ans. Et, dans un berceau d'osier, dormait la dernière-née, un joli poupon dont l'apparence dénotait les soins vigilants et l'hygiène de la jeune mère.

Les nouveaux époux, aussitôt après leur mariage, s'étaient établis dans ce logement composé de deux grandes pièces bien aérées et très ensoleillées. La mère Laurent était morte au bout d'un an, soigné jusqu'à la fin avec le plus entier dévouement par sa fille et par son gendre. Peu après était né le petit Louis, et Cyprien, qui gagnait de fort bonnes journées et rapportait intégralement son gain au logis, avait voulu que sa femme laissât presque complètement son travail de passementière pour pouvoir s'occuper seulement de l'enfant et de sa tâche de ménagère.

— Je ne veux pas que tu te fatigues, ma petite Line, avait-il déclaré. Tu auras bien assez à faire comme cela, et je ne serais pas du tout content de te voir la pauvre mine de tant de nos voisines qui se tuent au travail, les malheureuses !

— Parce qu'elles n'ont pas un bon mari comme toi, le meilleur ouvrier de l'usine et le plus cher des protégés de ces messieurs du Cercle, répondait Micheline en l'embrassant.

Il n'y avait pas eu encore un nuage entre eux. Micheline, de caractère plus ferme que son mari, savait diriger celui-ci sans en avoir l'air, et, lui, n'avait rien de caché pour elle.

Comme la jeune femme se penchait vers la casserole où bouillait doucement d'appétissants haricots, la porte s'ouvrit brusquement. Cyprien entra, la casquette un peu en arrière, la physionomie agitée.

— Je viens d'en voir une drôle de chose là-dedans !

Et sa main droite agitait un journal.

Micheline se détourna, montrant son visage toujours charmant, en ce moment empourpré par la chaleur du fourneau.

— Quoi donc ?

— Figure-toi que je lisais tranquillement mon journal tout en revenant quand j'arrive au résultat de l'élection législative qui a eu lieu hier à M... pour remplacer un député mort récemment. Qu'est-ce que je vois ? Elu... Prosper-Julien Louviers, socialiste-collectiviste.

Aucune surprise ne se peignit sur la physionomie de Micheline, mais elle ne put retenir un léger éclat de rire.

— Ah ! le voilà qui reparaît ! Député ! rien que cela ! Il va bien, ton cousin ! Pendant que nous nous demandions ce qu'il était devenu, il faisait son chemin. Ah ! le fameux socialiste que celui-là ! Et pourtant il y aura encore des gens pour s'y laisser prendre.

— N'empêche que tout se sait et qu'il pourrait bien se trouver quelqu'un pour lui lancer au nez la jolie façon dont il a faussé compagnie aux frères et amis.

— Ah ! mon pauvre Cyprien, je ne sais comment cela se fait, mais rien n'ouvre les yeux à ces pauvres aveugles !

— Qui sait, à force !Mais dis donc, je t'avais raconté hier que j'avais aperçu, dans une automobile très chic, une dame élégante qui ressemblait à Zélie. Ça pourrait bien être elle.

— C'est très possible. Allons, mets-toi à table, le déjeuner est prêt.

— Il faut d'abord que j'embrasse les petits. A-t-on été sage, hein, Louis, Lucien ?

Il donnait une caresse au petit garçon qui s'accrochait à son vêtement de travail et enlevait entre ses bras le cadet pour lui mettre un bon baiser sur le front.

— Et la petite n'a pas crié, ce matin ?

— Non, elle a été très tranquille aujourd'hui. Elle était un peu soufffrante hier, vois-tu. Si tu veux faire asseoir les enfants, je vais servir tout de suite.

— Papa, marraine est venue, confia Louis à

son père, tandis que celui-ci l'installait devant un des couverts préparés sur la table garnie d'une toile cirée bien nette. Elle a apporté des gâteaux. Tiens, regarde là-bas comme ils sont beaux ! Et puis elle a laissé un joli vêtement pour Lucien.

— Oui, Mme de Mollens est venue, dit Micheline en posant le plat de haricots sur la table. Elle a été charmante, comme toujours. Elle était un peu inquiète pour son petit Henry, qui est très délicat, et je lui ai promis de beaucoup prier à son intention.

— Ah ! je crois bien. Pour eux, nous ne pourrons jamais faire assez.

— Elle est jolie, marraine, et je l'aime beaucoup, dit gravement le petit Louis.

— Tu as raison, mon chéri, répliqua Micheline tout en s'asseyant entre son mari et son fils. Mais il faut l'aimer surtout, parce qu'elle est bonne, très bonne. Rien de nouveau à l'usine, Cyprien ?

L'ouvrier eut un geste mécontent.

— Eh ! ils s'agitent, tous ces imbéciles-là ! Ils écoutent les phrases de quelques meneurs et se laissent monter la tête comme des enfants.

— Alors, il est question de grève ?

— Oui, on en parle. J'espère cependant que ça se passera encore cette fois en paroles. Il y en a heureusement beaucoup qui ne sont pas disposés à cesser le travail. Et dire que nous devons tous ces ennuis à de misérables farceurs dans le genre de ce Prosper ! ajouta Cyprien avec un coup de poing qui ébranla la table et fit sursauter Louis et Lucien.

— Allons, mange tranquillement, dit Micheline en plongeant la cuiller dans le plat. Avance ton assiette. Veux-tu que je te serve ? Laisse ton journal, voyons !

— Une minute seulement, ma petite femme, il faut que je voie quelque chose. Il m'a semblé qu'il y avait un petit entrefilet après le résultat de l'élection. C'est ça. Ah ! par exemple. Ecoute, Micheline : « Le candidat socialiste élu est le beau-frère de Jules Morand, le député socialiste qui a épousé il y a deux ans Mlle Louviers. » Eh bien ! ils se sont casés tous deux, hein ? Car Morand est riche, lui aussi. Ah ! si je me doutais tout de même qu'ils arriveraient là !

Micheline secoua doucement la tête en disant gravement :

— Je pense que, malgré tout, nous sommes encore plus heureux qu'eux, vois-tu.

— Et moi, j'en suis sûr ! déclara Cyprien en se penchant pour embrasser sa femme.

A cette heure même, une luxueuse automobile s'arrêtait avenue du Trocadéro devant une maison de fort belle apparence. Un homme grand et un peu fort, vêtu d'une riche pelisse de fourrure, en descendit vivement et s'engagea sous l'entrée ornée de superbes plantes vertes et de là dans un large escalier garni d'un moelleux tapis. Au premier étage, il appuya longuement son doigt sur le timbre électrique.

Un des battants de la porte s'ouvrit, laissant

apparaître une élégante femme de chambre.

— Madame est-elle là ?

— Madame n'est pas encore rentrée, monsieur. Mais Monsieur déjeune.

Tout en parlant, elle s'effaçait pour laisser entrer l'arrivant.

Il enleva sa pelisse et apparut en jaquette dernier genre. Il alla vers une porte, l'ouvrit et pénétra dans une salle à manger richement meublée.

Un homme grand et un peu corpulent, très blond, au visage extrêmement coloré, était assis devant la table élégamment servie. Il eut une exclamation à la vue de l'arrivant, et, se levant, vint vers lui, les mains tendues.

— Ah ! voilà notre triomphateur ! Salut, cher collègue ! Tu es content, hein ?

— Assez, mon vieux ! Ç'a été un peu dur, il a fallu forcer la note, multiplier les promesses et distribuer surtout un argent fou !

— Bah ! tu as de quoi, Louviers. Et te voilà arrivé maintenant. Tu déjeunes, n'est-ce pas ? Julienne, un couvert pour M. Louviers !

— Et Zélie ?

Jules Morand fronça ses gros sourcils blonds.

— Ne me parle pas de ta sœur, j'en ai par-dessus la tête ! grommela-t-il. Est-ce que je sais jamais où elle est, d'abord ? Elle rentre quand ça lui plaît, nous vivons à peu près chacun de notre côté. Cela ne nous empêche pas d'avoir des scènes, quand madame a besoin d'une grosse somme d'argent pour payer ses fournisseurs lorsqu'ils la tracassent trop, ou quand elle voudrait se donner le luxe d'une voiture personnelle. Mais, tu sais, je commence à en avoir assez ! J'aime ma tranquillité, et un de ces jours, je la planterai là !

Et un coup de poing sur la table ponctua la déclaration du député socialiste.

Prosper Louviers s'était mis à droite du couvert préparé pour la maîtresse du logis. Les paroles de son beau-frère ne semblaient aucunement l'émouvoir, et ce fut avec le plus grand calme qu'il répondit :

— Allons, il faut avoir un peu de patience, Morand ! Zélie est encore jeune, elle aime le monde, les plaisirs, mais ça passera en vieillissant.

— Ah ! tu es bien bon, toi ! S'il faut que j'attende jusque-là, et que je supporte tous les caprices de cette péronnelle ! Non, je ne suis pas de ce bois-là, mon garçon ! Tu es bien tranquille, toi, au moins ! Te voilà veuf, et millionnaire ! Heureux mortel !

Prosper se mit à rire, tandis qu'une brève lueur d'orgueilleuse satisfaction traversait son regard.

— Je me trouve assez bien partagé, c'est certain. Et hier, les électeurs m'ont procuré ce qui me manquait encore. Me voilà en passe d'arriver à quelque chose.

Il se renversa sur sa chaise et rejeta en arrière sa chevelure noire qu'il portait un peu longue.

— Oui, je veux arriver loin. Pour cela, il faut que je me fasse une grande popularité.

— Tu réussiras, car tu as du bagou, tu sais

faire prendre aux imbéciles des vessies pour des lanternes, dit Morand en se servant un verre de sauternes. Allons, sers-toi, ces huîtres sont exquises. On m'en sert tous les jours, c'est mon grand régal. Et alors, nous allons t'avoir à Paris, naturellement ?

— Oui, j'y aurai un pied-à-terre, tout au moins. J'avais envie d'acheter le château de Moranges, en Seine-et-Oise, mais j'ai réfléchi que j'en jouirais peut-être pas encore beaucoup, car je serai sans cesse en déplacements. Je compte faire quantité de conférences aux quatre coins de la France, pour me faire connaître. Et puis, s'il y a une bonne petite grève à chauffer...

— Ah ! oui, surtout ! dit Morand avec un gros rire. Tu seras parfait pour ça. Je t'entends d'ici, laissant déborder les flots de ton indignation contre les accapareurs, les exploiteurs du peuple... Oh ! là, là, les belles phrases !

Prosper riait aussi, tout en détachant lentement un mollusque de sa coquille et en le portant à sa bouche.

— Délicieuses, tes huîtres, mon vieux ! C'est du choisi,, ça !

— Oh ! tu sais, il me faut du bon ! Comme je le dis à Zélie, je ne tiens pas à augmenter le luxe de notre installation, mais il me faut une table bien servie et une cuisinière habile. Madame voudrait qu'on change d'appartement, celui-ci ne lui paraît pas suffisamment cossu. Et puis, il lui faudrait un valet de chambre ! Mes moyens ne me permettent pas ça, je le lui ai déclaré carrément. Et sais-tu ce qu'elle m'a répondu ?

— Non, je l'ignore, répondit distraitement Prosper, absorbé dans la délectation de ses huîtres.

— Voilà ses paroles textuelles : « Tu n'es qu'un vieux pingre, mais je ne t'ai pas épousé pour me voir refuser toutes les satisfactions, et nous aurons vite fait de régler tout ça si tu continues. » Tu vois que ça commence à chauffer ? Il ne faut plus grand-chose pour que... crac ! nous nous en allions chacun de notre côté, redevenus libres comme l'air.

Une porte s'ouvrit tout à coup sous une main un peu brusque, laissant apparaître une jeune femme grande et mince, en élégante toilette de sortie.

— Prosper ! voilà une bonne surprise ! dit-elle d'un ton où passait une vibration de contentement.

Prosper, sans se déranger, se détourna à demi sur sa chaise et lui tendit la main.

— Tu devais bien compter un peu sur moi, Zélie ?

— Pas aujourd'hui, je pensais que tu avais affaire là-bas.

— J'y retourne ce soir, mais je suis venu prendre un peu l'air de Paris.

— En auto ?... Elle marche bien, ta nouvelle ?

— Une merveille !... Mais, dame, j'y ai mis le prix ! C'est ce qu'on fait de mieux pour le moment.

— Moi, je préfère les chevaux, ça a plus de genre, déclara Zélie d'un ton dédaigneux, tout en enlevant sa voilette et les épingles de son chapeau.

Jules Morand eut une sorte de rire silencieux, mais fort narquois, qui parut exaspérer sa femme.

— Oui, c'est bon, je l'aurai, ma voiture ! dit-elle entre ses dents serrées. J'arrive toujours à ce que je veux...

— Et moi, je ne fais que ce qui me plaît ! riposta Morand avec un regard de défi.

— Nous verrons bien ! dit froidement Zélie en tendant son chapeau à la femme de chambre qui semblait fort amusée de ce début de discussion.

— Allons, vous n'allez pas vous disputer pendant que je suis là, au moins ? grommela Prosper. Occupe-toi de déjeuner, Zélie, ce sera beaucoup plus utile pour le moment.

La jeune femme s'assit près de son frère, et celui-ci, pour éviter le retour d'une discussion entre les deux époux, se mit à narrer les péripéties de son élection, à raconter des anecdotes drôles, à parler de ses projets d'avenir. Zélie l'écoutait avec attention, sans pour cela perdre une bouchée des plats choisis présentés par la femme de chambre. Jules Morand, lui, semblait tout absorbé dans l'importante fonction qui consistait à remplir son estomac et à l'arroser de liquides variés, tous d'excellents crus. Depuis l'arrivée de sa femme, sa physionomie joviale de bon vivant était devenue maussade et sa grosse verve habituelle paraissait complètement éteinte.

En revanche, Zélie semblait fort à son aise, et sa physionomie généralement un peu froide et moqueuse exprimait une très vive satisfaction, causée sans doute par le succès de son frère.

— Alors, maintenant, il ne te reste plus qu'à te remarier, Prosper ? dit-elle à la fin du dessert, quand la femme de chambre eut apporté le café.

Il eut un geste vague.

— Oh ! nous avons bien le temps de penser à ça ! Laisse-moi jouir un peu de ma liberté. Ce n'est pas que la pauvre Marie-Anne m'ait bien gêné. C'était une bonne pâte, dont je faisais ce qui me plaisait.

— Tu as de la chance, toi ! grommela Jules Morand en attirant à lui le carafon d'eau-de-vie. Une femme dont on fait ce qu'on veut ! Ah ! bigre, je n'ai jamais connu ça, moi !

Zélie éclata d'un rire ironique.

— Pauvre victime, va ! Enfin, tu n'as pas encore trop mauvaise mine, malgré tous les tracas que je te cause et que tu pourrais si bien t'éviter en me disant gentiment : « Fais ce que tu veux, Zélie, je te donne carte blanche. »

— Comptes-y ! fit furieusement Morand en versant une bonne dose d'alcool dans sa tasse de café. Et si tu continues à m'ennuyer, tu n'auras plus un sou, entends-tu ?

La menace ne parut aucunement émouvoir Zélie. Elle répliqua avec un petit sourire narquois :

— J'aurai toujours ma dot, ça me suffira pour

le moment. Allons, tais-toi ! ajouta-t-elle impérieusement en voyant que son mari ouvrait la bouche pour riposter encore. Ce n'est pas la peine d'ennuyer Prosper avec ces histoires pendant les quelques heures qu'il passe avec nous.

— Ah ! non, vous savez, je n'aime pas les disputes ! déclara Prosper. Arrangez-vous comme vous voudrez quand vous êtes seuls, mais laissez-moi la paix !

— Oui, oui, tout te réussit à toi, tu es libre, tranquille ! marmotta Morand avec un coup d'œil envieux.

Il avala son café, s'essuya rageusement la moustache et se leva en disant d'un ton rogue :

— Je vais chez Muret. Je serai sans doute rentré avant que tu t'en ailles, Louviers ?

— Oh ! je ne partirai pas avant cinq heures !

— Bon, je serai là.

— Prends-tu l'auto, Jules ? demanda Zélie.

Il répondit par un signe de tête affirmatif.

— C'est amusant ! Moi qui avais des visites à faire !... Quand je te dis qu'il me faut une voiture !

Morand eut un ricanement moqueur et s'éloigna avec un énergique haussement d'épaules.

— Je te conduirai dans la mienne, dit Prosper qui sirotait lentement son café.

Zélie posa brusquement sa serviette sur la table.

— Seras-tu là demain, après-demain et les

autres jours ? C'est toujours la même chose : Monsieur se sert d'abord de l'auto... et puis je l'ai quand je n'en ai plus besoin ! J'en ai assez, à la fin !

Elle posa ses coudes sur la nappe et, le front entre ses mains, demeura silencieuse, les sourcils froncés, tandis que son frère vidait posément sa tasse.

Elle releva enfin la tête et dit :

— As-tu fini ?... Allons au salon, j'ai à te parler.

Il se leva et la suivit dans la pièce voisine, salon fort élégant, mais d'un goût assez contestable.

Zélie prit place dans un fauteuil, et son frère, s'asseyant en face d'elle, sortit un étui à cigares en disant :

— Vas-y. Il s'agit de... ?

— De cet imbécile de Jules, pardi ! Je te le répète, j'en ai assez ! Il faut que ça finisse ou bien nous nous prendrons aux cheveux. Alors je pense que, avant d'en arriver là...

— Il vaut mieux arranger les choses à l'amiable, acheva tranquillement Prosper en ouvrant un élégant canif d'écaille. C'est certain... Mais, voyons, que lui reproches-tu au juste ?

— C'est un grigou, un affreux grigou ! Il jette maintenant les hauts cris à la moindre de mes dépenses, il ne veut plus m'accorder la plus légère satisfaction. J'aurais voulu un domestique homme, c'est beaucoup plus chic qu'une femme de chambre !... Ah ! bien oui ! si tu avais entendu ce réquisitoire ! Et pour ma voiture, donc ! Non, ça ne peut pas durer ! Je vais demander le divorce.

Prosper, occupé à couper le bout de son cigare, fronça un peu les sourcils.

— C'est embêtant ! Je ne me soucie pas du tout de me mettre mal avec Morand ! Entre nous, c'est une nullité, mais il est très bien vu dans le parti et pourrait me faire du tort.

Zélie redressa la tête d'un air de Junon irritée.

— Tu ne prétends pas, pourtant, obtenir de moi que je reste rivée à cette chaîne à cause de ton avenir ?

— Ah oui ! si je comptais là-dessus !... Tu crois donc que je ne te connais pas ? dit-il d'un ton moqueur. Divorce si ça te plaît, mais fais la chose en douceur... à l'amiable, comme je le disais tout à l'heure. Il vaudrait même peut-être mieux que ce soit moi qui arrange la chose, car, à vous deux, vous en arriveriez aux paroles trop vives, je le crains.

— Oh ! certainement. Il est parfois d'une violence !... Et il en débite alors ! Heureusement, je suis de force à lui tenir tête. Mais enfin, tu peux t'occuper de la chose si tu ne veux pas te trouver brouillé avec lui. Pour éviter les discussions, je m'en irai chez une de mes amies.

Prosper, tout en parlant, avait sorti de sa poche une boîte d'allumettes. Il alluma un cigare, en tira une bouffée et dit en regardant sa sœur, à demi enfoncée dans un fauteuil en une pose étudiée qu'elle croyait sans doute très aristocratique :

— Alors, tu ne veux pas essayer encore ? Morand a sa situation, il est riche...

— Peuh ! Riche ! Pas tant que ça ! dit dédaigneusement Zélie. Je trouverai facilement l'équivalent. Maintenant, surtout, que te voilà député, tu auras plus de relations, et je suis bien certaine de faire un beau mariage. Ne t'inquiète pas de moi.

— Oh ! ma foi, non ! Arrange-toi comme tu voudras, ça te regarde. Je t'offrirai l'hospitalité chez moi, si tu veux, en bon frère que je suis... Ah ! mais, et ton fils ?

— Je pense que Jules ne demandera pas mieux que de me le laisser. Ce sera pourtant une fameuse charge pour moi ! Tu tâcheras d'obtenir qu'il lui fasse une bonne pension, dis ?

— Tu vas m'en donner du tracas avec ton divorce ! Allons, ne parlons plus de ça, c'est assez pour aujourd'hui. Je reviendrai un de ces jours et nous en reparlerons... Va t'habiller, j'ai quelques courses à faire et je te conduirai ensuite où tu voudras.

La jeune femme s'éloigna, et Prosper, s'étendant presque complètement dans son fauteuil, se mit à fumer lentement. Peu à peu, la contrariété qu'avait amenée sur sa physionomie la communication de sa sœur s'effaçait, le nouveau député reprenait l'air de complète satisfaction qu'il avait en arrivant chez son beau-frère. De fait, Prosper Louviers avait vu hier la réalisation complète du rêve sourdement éclos dans l'âme ambitieuse de l'ouvrier de Vrinot frères. Maintenant, il était un homme arrivé, il avait pris de l'aisance, de la désinvolture, il était et se montrait un personnage important.

Au bout d'un assez long temps, voyant que sa sœur n'apparaissait pas, il se leva, sortit du salon et alla frapper à une porte.

— Allons, Zélie, dépêche-toi !

— Je suis prête... Entre, si tu veux.

Il pénétra dans une chambre luxueuse au milieu de laquelle se tenait Zélie, occupée à apostropher sa femme de chambre en termes qui n'étaient pas des modèles d'aménité ni de distinction.

— Tenez, allez-vous-en, je vous donne vos huit jours ! conclut-elle en lui jetant un carton à la tête. Je ne supporterai jamais d'être servie par de stupides créatures de votre espèce !

La femme de chambre ricana et sortit en levant les épaules et en murmurant :

— Espèce de poseuse !... Et ça se croit une grande dame, tiens !

— Toujours en dispute avec tes domestiques ? dit Prosper.

— Quelle engeance, mon ami ! Tu n'as pas idée de mes ennuis !

— Mais si, car ça ne marche pas toujours chez moi. J'ai beau les tenir très raides, ces coquins redressent la tête parfois... Eh ! eh ! c'est que tu ne me parais pas très tendre pour les tiens, ma petite !

— Il n'y a que ça, tu l'as reconnu toi-même. Ces êtres-là ont besoin d'être menés à la baguette... Comment trouves-tu ma robe ?

— Très chic. Ça vaut bien trois cents francs, hein ?

— Quatre cents. C'est une simple petite robe d'après-midi, mais elle est gentille. Eh bien ! rien que pour ça, j'ai eu une scène avec Jules !

Elle saisit rageusement son manchon et sortit de la chambre, suivie par son frère.

Dans le vestibule, ils croisèrent une jeune bonne fort coquette qui portait un bébé élégamment vêtu, à la mine souffreteuse.

— Il a l'air malade, ton petit Léon, fit observer Prosper en jetant au passage un regard sur l'enfant.

Zélie effleura d'une caresse la tête couverte d'un léger duvet de cheveux et répondit, en continuant à marcher vers la porte :

— Il n'est pas très fort, c'est certain. Le docteur prétend que l'air de Paris ne lui vaut rien. Des histoires, tout ça ! Il finira par prendre le dessus, comme tant d'autres mioches. Je voudrais seulement trouver une bonne qui le soigne un peu convenablement ; celle-ci ne m'inspire pas très grande confiance.

— Envoie-le à la campagne, comme le mien.

— A propos, il va bien, ton Alexis ?

— Assez, oui. J'ai poussé jusque-là, il y a quelque temps, pour le voir... quoique, tu sais, les enfants, ça me laisse un peu indifférent.

Tout en parlant, le frère et la sœur descendaient l'escalier et arrivaient sous la voûte de la porte cochère. Un homme de haute taille, vêtu avec une correction distinguée, les croisa à ce moment. Prosper murmura :

— Tiens ! où ai-je vu cette tête-là ?

— Ce n'est probablement pas dans tes relations, mon cher, dit ironiquement Zélie. Celui-là est un aristo, et de la pire espèce. Toujours fourré dans les Cercles catholiques, dans les patronages, dans les conférences. Il vient très souvent voir un vieil oncle, le vicomte d'Anville, qui habite au quatrième.

Et elle appuyait avec une intonation dédaigneuse sur ce mot « quatrième ». Dame ! quand on habite soi-même le premier étage !...

— Tu l'appelles ?

— Qui ?... Le neveu ?... Attends, que je cherche... De Mollens, je crois... Oui, le marquis de Mollens. C'est un bel homme, mais il a l'air fier. De quoi, je me le demande ? Ça voudrait toujours écraser les autres, ces gens-là !

Et, levant rageusement les épaules, Zélie s'avança vers l'auto arrêtée devant la porte. Son frère, l'air important, donna ses ordres au chauffeur d'une voix brève et autoritaire. Et les humbles mortels qui passaient modestement à pied jetèrent un coup d'œil d'admiration ou d'envie vers les riches personnages qui n'avaient pour eux qu'un regard de condescendante protection, ou peut-être de dédain triomphant. Des gens qui vont à pied ! Allons donc, les pauvres hères !

CHAPITRE VI

Sous la pluie fine qui tombait sans interruption, Cyprien Mariey avançait d'un bon pas, malgré le pavé un peu glissant. Il s'en allait de cette allure dégagée de l'ouvrier parisien, les mains dans les poches de son veston du dimanche, la mine calme et souriante de l'homme qui a bien accompli son devoir toute la semaine et qui se trouve satisfait d'avoir une journée de repos.

Il s'arrêta tout à coup et enleva vivement la casquette neuve que Micheline, sa chère ménagère, lui avait offerte la veille. D'une rue transversale débouchaient deux hommes en pardessus sombres, le parapluie à la main. L'un était mince, de haute taille et d'allure très aristocratique ; l'autre plus petit, un peu replet, son visage intelligent et grave encadré de beaux favoris grisonnants.

— Ah ! bonjour, Mariey ! dit le premier en tendant la main à l'ouvrier. Nous ne serons pas en retard, je crois ?

— Oh ! non, pour sûr, monsieur le marquis !

La réunion est à deux heures, il nous faut à peine cinq minutes pour arriver.

— Marchons, alors. Venez sous mon parapluie, Mariey ; il nous servira à tous deux... Les autres seront là-bas ?

— Oui, monsieur, ils l'ont promis. Malheureusement, beaucoup de ceux qui ont connu Prosper sont partis je ne sais où. C'est un fait exprès ! Enfin, il en reste encore quelques-uns, qui n'ont pas oublié la façon dont il nous a faussé compagnie. Je leur ai raconté l'histoire de l'héritage telle que vous avez réussi à la connaître, monsieur Hablin.

Ces mots s'adressaient au compagnon du marquis de Mollens.

— Oui, c'était gentil, ça. Et maintenant, vous savez, ils mènent grand train, sa sœur et lui.

— Ce qui ne l'empêchera pas tout à l'heure d'affoler toutes ces malheureuses cervelles d'ouvriers en leur parlant du « hideux capital », dit M. de Mollens avec une tristesse railleuse. Mais soyez sûr que son argent, à lui, est en sûreté !

Cyprien crispa les poings en murmurant :

— Misérable menteur ! Ça me fait bouillir, voyez-vous, monsieur le marquis ! Aussi, bien qu'il soit mon cousin — il ne l'a guère montré, du reste —, j'ai voulu aider à le démasquer, si c'est possible. Je le considère comme un malfaiteur qui empoisonne le malheureux peuple.

— Hélas ! combien sont-ils ainsi ! murmura M. Hablin. Lui est particulièrement dangereux, car il a une éloquence entraînante, il claironne des phrases creuses mais fascinantes, il enlève un auditoire disposé à l'avance par les excitations des feuilles avancées et par d'habiles courtiers en anarchie.

— Beaucoup d'ouvriers de chez nous seront à la réunion, dit Cyprien. L'agitation augmente, nous aurons certainement la grève un de ces jours. On travaille beaucoup les camarades, ils ont la tête tout à fait montée. Maintenant, nous ne sommes plus qu'un petit noyau qui ne veut pas entendre parler de grève, parce que nous voyons très bien qu'il s'agit simplement de faire le jeu d'agitateurs politiques — de ce coquin de Prosper, peut-être !

— Vous gardez une dent à votre cousin, Mariey ? dit en souriant M. de Mollens.

— Monsieur, ça me révolte, que voulez-vous ! répliqua Cyprien d'un ton indigne. Penser que cet hypocrite, ce jouisseur, berne comme cela le pauvre peuple ! Ah ! non, c'est plus fort que moi !

— Nous voici arrivés, je crois, dit M. Hablin.

Ils se trouvaient devant une vieille maison de rapport. Sous la porte cochère s'engouffraient, par groupes ou isolément, des hommes, la plupart des ouvriers, quelques-uns en habits de travail, d'autres endimanchés. Parmi eux se voyaient quelques gens à l'allure de bourgeois.

M. de Mollens et ses compagnons entrèrent comme eux, ils se trouvèrent dans une cour étroite et longue. En face d'eux se dressait un bâtiment composé d'un simple rez-de-chaussée, et garni de grandes fenêtres haut placées. Sur la façade était placardée une affiche écarlate, où se lisait en lettres énormes :

GRANDE
CONFERENCE CONTRADICTOIRE

LE SOCIALISME, ESPOIR DES PEUPLES

Par le citoyen ALCIDE GOTON

MORT A LA VIEILLE SOCIÉTÉ

Par le citoyen JULIEN LOUVIERS

Député collectiviste

— Il a supprimé son premier prénom, vous avez vu, monsieur le marquis ? dit Cyprien en riant. Il doit toujours craindre qu'une ancienne connaissance ne vienne lui dire son fait. Mais ça, c'est une malice cousue de fil blanc, car il n'a guère changé, et il est facile à reconnaître.

— Vous l'avez revu, Mariey ? demanda M. de Mollens tout en gravissant les quelques marches qui donnaient entrée dans la salle.

— Il y a quelques jours, je l'ai aperçu dans une chic auto. Monsieur se prélassait dans sa fourrure, fallait voir ça ! Le roi n'était pas son cousin !

La salle était aux trois quarts pleine. Le marquis, M. Hablin et Cyprien rejoignirent un petit groupe qui leur adressait des signes discrets. Il était composé d'ouvriers dont la tenue calme et correcte contrastait avec les manières grossières et bruyantes de ceux qui les entouraient.

A tous, M. de Mollens et M. Hablin serrèrent la main avec de cordiales paroles. Entre ces fils du peuple et ces deux hommes distingués, intelligents et bons, qui leur donnaient, avec leur cœur, une partie de leur temps et de leur fortune, on sentait l'affection réelle et forte, l'amitié sincère, sans défiance.

— C'est-y vous, monsieur, qui répondrez aux bêtises du petit Goton ? demanda un jeune ouvrier en se reculant pour avancer la chaise de M. de Mollens.

— Non, c'est M. Hablin qui aura cet honneur. Je me suis réservé Prosper Louviers ou Julien, comme vous voudrez.

— C't'espèce de canaille ? dit un ouvrier d'un certain âge avec un geste de mépris fort expressif. Dites-lui bien son fait, monsieur le marquis, faites-lui rentrer ses mensonges dans la gorge.

— Le voilà ! chuchota Cyprien.

Sur l'estrade venaient d'apparaître deux hommes. L'un était petit, bedonnant, le front chauve, la mine chafouine. L'autre était Prosper Louviers — non plus le Louviers élégant, cherchant, dans ses manières et sa tenue, à singer le grand seigneur, mais un Louviers démocratique, bon enfant, les mains dans ses poches, la tenue négligée, l'air souriant et affable.

Des applaudissements éclatèrent, avec des cris de : « Vive Louviers ! Vive la sociale ! »

Souriant toujours, Prosper prit place sur une des chaises préparées sur l'estrade. Son regard, machinalement, tomba sur un point de la salle, celui où se trouvaient le marquis et ses compagnons.

Il pâlit, ses traits se crispèrent, tandis qu'une lueur de fureur et d'inquiétude traversait son regard.

Un pli profond barrait son front. Il cherchait.

Sur un geste d'appel, un ouvrier, jeune encore, grand blond à la mine intelligente et rusée, s'approcha de lui. Le député lui parla à l'oreille ; l'autre inclina plusieurs fois la tête en signe d'assentiment et s'en alla se perdre au milieu des auditeurs.

Le gros petit homme commençait son discours. Il était fait à souhait pour servir de repoussoir à Prosper Louviers, car son éloquence était aussi terne, aussi insignifiante que sa personne.

M. Hablin, qui maniait admirablement l'ironie, se contenta de lui lancer de temps à autre quelques répliques cinglantes qui égayèrent en général l'auditoire, peu charmé par les phrases sèches d'Alcide Goton. Seuls, quelques cris hostiles à l'adresse de l'interrupteur furent poussés par les plus exaltés des auditeurs.

C'était maintenant le tour de Louviers. Il se leva et s'avança, la tête haute, promenant sur la foule un regard dominateur et décidé, où un observateur eût pu discerner pourtant une sourde anxiété.

Il avait une voix sonore, les phrases à effet ne lui manquaient pas, le geste venait toujours parfaitement à l'appui des paroles. De plus, il avait conservé cet ascendant qu'il possédait déjà, n'étant encore qu'ouvrier, sur ses camarades — ascendant dû à une intelligence forte et lucide et à une volonté dominatrice qui savait se dissimuler pour ne pas effaroucher les susceptibilités, mais qui ne s'en exerçait que plus sûrement sur celle d'autrui.

Cette fois, l'auditoire écoutait. Des applaudissements nourris soulignaient les périodes particulièrement enlevantes.

— ... Oui, citoyens, nous vous obtiendrons la grande, l'entière liberté, l'égalité sociale qui vous enlèvera au douloureux servage pesant depuis des siècles sur le malheureux prolétariat français. Nous balayerons ces restes des vieilles institutions d'autrefois, des superstitions encore existantes ; nous verrons enfin régner sur la société nouvelle la fraternité universelle...

M. de Mollens se leva, les bras croisés, sa belle tête énergique tournée vers le député, et sa voix nette, très mordante, lança :

— Si cette fraternité est dans le même genre que la vôtre, Prosper Louviers, je crois que le peuple pourra attendre longtemps avant de voir l'âge d'or promis !

En une seconde, les deux hommes se mesurèrent du regard. Une colère intense luisait au fond des prunelles du député, tandis que dans les yeux de M. de Mollens on eût pu discerner un calme et hautain mépris.

— Que lui reprochez-vous, à ma fraternité ? riposta Prosper d'un ton de défi.

— Tout simplement de consister en belles

phrases et de ne jamais passer aux faits. Vous souvenez-vous, monsieur le député, du temps où vous étiez ouvrier chez Vrinot frères...

Un coup de sifflet retentit dans la salle, un cri de : « Hou ! hou ! A bas l'aristo ! » Et ce fut une tempête de clameurs et de sifflets obligeant M. de Mollens à s'interrompre.

— Ils vont vous empêcher de parler, monsieur le marquis, dit Cyprien avec colère.

— C'est probable, répondit M. de Mollens avec calme. Cela est une des tactiques de ces coquins.

C'était bien là, en effet, ce qu'avait imaginé Prosper pour éviter les accusations qu'il pressentait devoir lui être lancées. Il continua sa conférence, mais, lorsque le marquis voulut de nouveau l'interrompre, cris et sifflets recommencèrent de plus belle.

— Vous n'y arriverez pas, mon cher ami, dit M. Hablin. Ce sera comme cela jusqu'à la fin.

— Je continuerai quand même, car je le gêne visiblement. Sa parole est nerveuse, il n'a pas tous ses moyens, c'est certain ; il craint, malgré tout...

— T'as peur de la vérité, espèce de repu, égoïste, menteur ! clama un ouvrier près de Cyprien, en tendant son poing vers Louviers.

M. de Mollens, impassible sous les insultes, continua à couper d'interruptions la conférence du député, visiblement agacé et furieux.

Mais, comme le marquis recommençait pour la quatrième fois, ce fut un tumulte dans la salle, les assistants se ruèrent sur le petit groupe avec des cris de haine. A grand-peine, M. de Mollens et ses compagnons réussirent à gagner la porte en faisant crânement face aux assaillants, et non sans récolter quelques blessures, heureusement sans gravité.

— Nous avons perdu notre temps, messieurs ! dit Cyprien dont la main était contusionnée par un barreau de chaise.

M. de Mollens secoua la tête.

— Non, mon ami, on ne perd jamais son temps quand on fait son devoir, celui-ci dût-il nous conduire à l'insuccès. Et, du reste, nous avons au moins obtenu ce résultat de gêner considérablement l'éloquence de cet homme, de détourner quelque peu à notre profit l'attention que lui prêtent d'ordinaire ces malheureux trompés par lui. Allons, mes chers amis, rentrez chez vous. Nous serons peut-être plus heureux une autre fois. Mariey, voulez-vous vous charger de ce petit paquet pour Mlle Césarine ?

— Avec plaisir, monsieur le marquis... Mais, vous êtes blessé ?

Un peu de sang glissait, en effet, sur le front de M. de Mollens.

— Tiens, c'est vrai. Oh ! ce n'est rien du tout, une égratignure ! Au revoir, Mariey, à dimanche prochain.

Cyprien reprit le chemin de son logis en compagnie de quelques camarades qui demeuraient aussi de ce côté. Il s'en alla tout droit chez Mlle Césarine, qui faisait la lecture à ses protégés, très attentifs.

Lorin, le père, était mort deux ans auparavant, mais les charges de Mlle Césarine n'avaient pas diminué pour cela, car elle s'était empressée de recueillir aussitôt une malheureuse petite fille percluse de tous ses membres.

Cyprien lui remit le petit paquet de M. de Mollens, qui contenait d'excellent chocolat pour les jeunes infirmes, puis il raconta l'emploi de leur après-midi.

Mlle Césarine secoua la tête en murmurant :

— Ils veulent faire la nuit autour des pauvres âmes ignorantes. Quand je pense que ce Louviers, qui ose parler de fraternité, m'a dit un jour, autrefois : « Quelle bêtise, mademoiselle Césarine, de vous fatiguer comme ça pour des étrangers ! C'est moi qui les laisserais pourrir dans leur coin ! »

— Oh ! c'est bien ça, allez ! Il est tout de même, aujourd'hui, quand il vient faire le bon enfant devant « ses frères les prolétaires », et qu'il se moque d'eux par-derrière avec ses manières de gros bourgeois... Allons, au revoir, mademoiselle Césarine, je m'en vais vite pour rassurer Micheline, car elle était inquiète en me voyant aller à cette conférence, crainte des horions. Elle avait un peu raison, mais enfin, ça s'est bien passé quand même, grâce au sang-froid et aux bons poings de ces messieurs.

Le divorce de Zélie Louviers avait été prononcé ; elle était venue s'installer chez son frère, dans le vaste et luxueux appartement loué par le député collectiviste. Cet arrangement ne déplaisait pas trop à Prosper, sa sœur lui étant utile pour tenir sa maison et donner quelques réceptions. Ils s'entendaient assez bien, ayant généralement les mêmes goûts et les mêmes opinions. Si quelque discussion éclatait entre eux, Prosper disait froidement :

— Tu sais, rien ne t'empêche de t'en aller ailleurs. Je ne te retiens pas de force ici.

Et Zélie, qui appréciait à leur juste valeur le luxueux confort de l'installation de son frère et l'agrément d'un personnel nombreux et bien stylé, redevenait aussitôt souple et aimable.

Cet après-midi-là, elle se tenait dans le petit salon japonais — d'un japonais qui eût quelque peu étonné les habitants de l'empire du Soleil Levant. Mais ni Prosper ni Zélie ne regardaient de si près à l'exactitude. Il leur suffisait que l'aspect fût luxueux, chatoyant, coloré. La sobriété du goût et le sens artistique ne comptaient pas précisément au nombre de leurs facultés.

Zélie venait de rentrer d'une promenade dans l'auto que Prosper avait laissée aujourd'hui à sa disposition, le député s'étant rendu démocratiquement à pied jusqu'à la salle de conférences. Assis près de la cheminée où flambait un feu clair, la jeune femme, en coquette toilette d'intérieur, commençait la lecture d'un roman dont ses amies lui avaient dit merveille.

La porte s'ouvrit tout à coup sous une main brusque. Prosper entra, les sourcils froncés, l'air sombre.

— Tiens, te voilà ! dit Zélie. Tu n'as pas une mine triomphante. Ça n'a pas bien marché ?

Il lança son chapeau au hasard et se laissa tomber dans un fauteuil qui craqua douloureusement.

— Bien marché !... C'est-à-dire que, sans ma présence d'esprit, j'avais des ennuis gros comme moi ! Figure-toi qu'il y avait là Cyprien Mariey avec cet aristo dont il est l'âme damnée, le marquis de Mollens.

— Ah bien ! c'était du joli ! s'exclama Zélie en laissant glisser son livre à terre.

— Près d'eux, j'ai cru reconnaître des figures d'autrefois, des copains de notre quartier. On avait manigancé quelque chose contre moi, pour me faire du tort. Heureusement, j'ai pu arranger l'affaire ; je les ai empêchés de parler, selon un petit système qui réussit toujours très bien. Finalement, mes braves auditeurs ont fait tant de chahut que le Mollens et ses acolytes ont été obligés de quitter la salle. N'empêche que ma conférence a été troublée et qu'elle n'a pas produit l'effet attendu. Ce misérable Cyprien ! Si je le tenais !

— Canaille ! dit Zélie avec colère.

— Et puis, songe que pareille aventure peut encore m'arriver d'un moment à l'autre ! Ce marquis a l'air d'un homme fameusement résolu et qui n'a pas froid aux yeux. Quant à Cyprien, il est certainement furieux de me voir riche, tandis que lui est resté dans la misère... Il faut absolument que je trouve un moyen...

Et, appuyant son front sur sa main, Prosper réfléchit longuement.

— J'ai trouvé ! s'écria-t-il tout à coup. Il y a,

parmi mes admirateurs, un jeune ouvrier du nom d'Eugène Labouret ; j'en ferai ce que je voudrai... avec de l'argent surtout. C'est lui qui a donné aujourd'hui le signal des cris et des sifflets destinés à couvrir la voix des interrupteurs gênants. Je l'attacherai à ma personne et il me rendra le même service dans toutes mes conférences. Comme cela, ce sera plus sûr.

— Oui, mais à la Chambre ? Il est probable que ces gens-là ne garderont pas la chose pour eux, et alors, si un député de l'opposition, en pleine séance, te lance au nez...

— Oui, oui, j'ai bien pensé à ça ! Et là, pas moyen de le faire taire. Mais cela n'aurait pas un très grand inconvénient. Mes collègues du parti ne me verraient pas d'un plus mauvais œil, pour la simple raison qu'ils sont tous pénétrés des mêmes sentiments que moi. Va donc demander à Vullier, l'archimillionnaire, de partager avec les ouvriers des usines Michot qu'il a entraînés à la grève l'année dernière et qui meurent de faim aujourd'hui. Va donc demander à Moriet ce qu'il envoie aux œuvres de bienfaisance, tandis que sa femme est couverte de diamants et qu'il donne toutes les semaines des dîners fins ! Ah ! la bonne blague !... Mais on y coupe toujours !

Et Prosper se renversa dans son fauteuil avec un rire moqueur.

— Non, vois-tu, ce n'est pas la Chambre qui m'inquiète le plus... Mais avec Labouret, je viendrai à bout de mes ennemis. Je le ferai appeler dès demain, car j'ai précisément plusieurs conférences ces temps-ci. Nous chauffons ferme les ouvriers électriciens, la grève n'est plus qu'une question de jours. Allons, je vais changer de tenue, maintenant. J'en ai assez de faire le « frère des ouvriers » !

Ils se mirent à rire, et Prosper, se levant, se dirigea vers la porte. Au moment de l'ouvrir, il se détourna.

— Irons-nous au théâtre, ce soir ? Morand m'a envoyé des cartes pour les Variétés. Un bon garçon, tout de même ! Il ne nous en veut pas du tout.

— Bah ! il était aussi content que moi de la solution ! Et puis, tu as très bien su arranger la chose. Tu es habile.

— Quelquefois, ma petite ! répliqua le député d'un air suffisant. J'ai assez bien mené ma barque encore aujourd'hui, de façon à m'éviter peut-être de très grandes complications. Quoique, après tout, ces cervelles d'ouvriers soient si bien préparées, chauffées et exaltées par nous que les accusations lancées contre moi n'auraient peut-être pas eu grand effet ! ajouta-t-il en haussant les épaules.

CHAPITRE VII

Cyprien montait lentement l'escalier de son logis. Son pas était plus lourd qu'à l'ordinaire, une grande préoccupation barrait son front d'un pli profond, et ses lèvres n'avaient pas aujourd'hui le gai sifflotement habituel.

Il sourit cependant à Micheline qui l'attendait au seuil du petit logement, le bébé sur les bras.

— Eh bien ? interrogea la jeune femme.

— Eh bien ! ça y est, ma pauvre Micheline ! C'est la grève, par conséquent la misère.

Une désolation profonde emplit les grands yeux bleus de Micheline. Silencieusement, elle rentra dans la chambre, posa le bébé dans un berceau, puis revint vers son mari qui s'était assis près de la table garnie d'un couvert soigné.

— Alors, tous sont pour la grève ?

— Non, il y en a quelques-uns qui n'en veulent pas. Aussi, demain, irons-nous comme d'habitude au travail.

Une expression d'effroi parut sur la physionomie de Micheline.

— Oh ! si les autres veulent vous en empêcher ! Ils vous maltraiteront, vous blesseront peut-être...

Cyprien prit la main de sa femme et la serra doucement entre les siennes.

— Mais non, mais non, ils ne sont pas si méchants que ça. Et nous voulons garder notre liberté, nous autres. Qu'ils fassent grève si ça leur plaît, pour obéir aux Louviers et autres coquins, mais nous n'avons pas du tout envie de les imiter. Car c'est ce Prosper qui les a excités, les malheureux, par ses discours incendiaires, par ses articles publiés dans l'*Espoir des peuples*. Le misérable !... Tiens ! n'en parlons plus, il me fait bouillir le sang dans les veines ! Sers-nous vite la soupe, Micheline, j'ai très faim.

Malgré cette assertion, Cyprien ne fit pas montre de l'appétit accoutumé, et son entrain forcé ne dissimulait qu'avec peine sa préoccupation.

Ni lui ni Micheline ne fermèrent guère l'œil de la nuit. Une sourde inquiétude tourmentait la jeune femme, malgré tous ses efforts pour la calmer. Quant à Cyprien, il se demandait avec quelque anxiété comment se passerait la journée du lendemain, car il n'avait pas dit à sa femme que les grévistes avaient déclaré vouloir empêcher par tous les moyens leurs camarades de travailler. Et ces hommes, excités par l'alcool et par les encouragements des agitateurs, étaient réellement capables de tout.

Au matin, Cyprien partit à l'heure accoutumée. Comme d'habitude, il embrassa Micheline.

Des larmes vinrent aux yeux de la jeune femme, et elle murmura en lui saisissant la main :

— Reste aujourd'hui ! ce n'est pas prudent !

— Allons donc, petite peureuse ! dit-il avec un sourire forcé. Il ferait beau voir que j'abandonne les camarades ! Tu ne le voudrais pas, dis ?

— Non, c'est vrai, dit-elle en se raidissant un peu pour dominer son angoisse. Fais ton devoir, mon Cyprien !

Elle pencha un instant sa tête sur son épaule, et il l'embrassa de nouveau, longuement. Puis il s'éloigna, les yeux humides, la gorge serrée par une émotion douloureuse.

Dominant courageusement son angoisse, Micheline s'occupa de ses enfants, de son petit ménage. Vers dix heures, elle vit arriver Mlle Césarine qui lui apportait un remède pour le petit Lucien, son second fils, dont la vue était un peu faible. Micheline lui fit part de ses inquiétudes, et l'excellente vieille fille, pour l'en distraire, s'attarda près d'elle, l'aidant dans sa tâche de ménagère.

Vers onze heures, un pas s'arrêta sur le petit palier. Micheline murmura avec un soupir de soulagement :

— Le voilà, sans doute.

Mais non, ce n'était pas lui, car on frappait à la porte.

Micheline alla ouvrir, elle se trouva en face d'un ouvrier aux vêtements déchirés, au visage contusionné.

— Monsieur Pierret !... Qu'y a-t-il ? s'écria-t-elle avec terreur.

— Madame, Mariey, c'est votre mari... il est blessé !...

— Blessé !... Où est-il ?

Et ses mains se crispaient sur le bras de l'ouvrier.

— A l'hôpital Beaujon, madame Mariey. Allons, ne vous effrayez pas trop, il faut espérer qu'il en reviendra.

Micheline tourna vers Mlle Césarine son visage tout à coup décomposé, elle dit d'une voix un peu rauque :

— Je vais là-bas. Est-ce que vous pourrez vous occuper des enfants ?

— Oui, oui, ne vous inquiétez de rien, ma pauvre petite fille ! Allez, allez, mon enfant ! dit Mlle Césarine en lui pressant les mains, tandis que des larmes coulaient sur ses joues flétries à la vue de la douleur peinte sur la physionomie de la jeune femme.

Dans son lit d'hôpital, Cyprien était étendu, la tête bandée, les yeux clos. Un interne venait de s'arrêter près de lui, et échangeait avec l'infirmière un regard qui disait clairement : il n'y a rien à faire.

Quelqu'un s'approchait... une jeune femme modestement vêtue, pâle, le regard angoissé. Elle s'arrêta devant le blessé ; ses yeux pleins d'effroi et de douleur se posèrent sur le visage livide. Et, se penchant, elle appuya ses lèvres sur une des mains de Cyprien.

Il tressaillit et ouvrit les yeux. Une joie inexprimable passa dans son regard et sa voix faible murmura :

— Oh ! c'est toi, Micheline !

— Oui, c'est moi, mon Cyprien. Oh ! comme j'avais raison ce matin ! Mais tu vas guérir vite, tu reviendras bientôt avec nous.

— Non, c'est fini, vois-tu. Il vaut mieux envisager la chose courageusement. J'ai demandé l'aumônier, il va venir dans un moment...

— Cyprien !... Oh ! Cyprien ! murmura-t-elle dans un sanglot.

Une crispation de douleur passa sur le visage de l'ouvrier.

— Sois forte, ma chérie. Vois-tu, je suis bien heureux, puisque, je meurs en chrétien. Ceux qu'il faut plaindre, ce sont les malheureux égarés par ces misérables et révoltés contre Dieu. Tu feras de nos enfants de bons chrétiens et de bons Français, tu les élèveras dans le respect de l'autorité, tant que celle-ci est juste et ne blesse pas les droits de la conscience. Mets-leur dans le cœur l'horreur des doctrines nouvelles, répète-leur que ce sont elles qui ont causé la mort de leur père. Je pardonne à ceux qui m'ont frappé, à ceux, bien plus coupables, qui les ont excités... à Prosper, l'un d'eux. J'aurais aimé à voir M. de Mollens, mais je pense qu'il n'arriverait pas à temps. Tu lui diras comme je l'ai aimé, combien je le remercie... Et puis, donne pour moi un souvenir à tous ceux que j'ai connus... Toi, je t'ai toujours aimée plus que tout, après Dieu...

Il s'arrêta, étouffé par la faiblesse et l'émotion. Micheline, le front appuyé sur la main de son mari, comprimait la douleur atroce qui l'envahissait.

L'aumônier apparut, et la jeune femme s'éloigna pour quelques instants. Quand elle revint près du lit de Cyprien, l'ouvrier eut encore la force de murmurer :

— Je t'aime tant, ma Micheline !... Au ciel, nous nous reverrons... Je pardonne... à tous.

Cinq minutes plus tard, la belle âme loyale et courageuse de Cyprien Mariey apparaissait au tribunal de son Dieu.

Micheline avait heureusement, en Mme de Mollens et en Mlle Césarine, des amies dévouées qui devaient lui adoucir un peu l'affreux déchirement de cette séparation. La marquise, pendant quinze jours, vint chaque matin la voir, elle l'entoura d'une délicate et affectueuse sympathie que pouvait égaler seulement celle de Mlle Césarine. Et l'âme courageuse de Micheline, dominant son cœur brisé, se remit peu à peu à la vie habituelle, si morne, si douloureuse maintenant que l'entrain joyeux et surtout la tendre affection de Cyprien en avaient disparu pour toujours.

D'ailleurs, Micheline n'avait pas le loisir de s'arrêter longuement sur son chagrin. Maintenant, il lui fallait gagner elle-même la vie de ses enfants. Elle avait donc repris son métier de passementière ; mais, malgré son courageux labeur, la gêne était entrée au logis, où le gain de Cyprien apportait presque l'aisance grâce à l'intelligente économie de la jeune femme.

Mme de Mollens, s'autorisant à son titre de

marraine du petit Louis, aidait discrètement Micheline.

— Laissez-moi le plaisir de vous traiter comme une sœur, disait-elle avec sa gracieuse cordialité habituelle. Voyez, votre fils est mon filleul, mon mari est le parrain de votre petite Suzanne. Ce sont des liens très forts, de vrais liens de parenté.

Micheline la remerciait avec une reconnaissance émue et bénissait Dieu qui lui donnait dans son malheur de tels soutiens.

Mais de nouvelles inquiétudes surgissaient. Lucien et Suzanne, le bébé, restaient faibles et languissants, le médecin consulté avait dit :

— Il leur faudrait une autre atmosphère que celle de Paris. Au bon air, ils se fortifieraient très vite. Ici, hum !...

Un dimanche, Micheline mit sa robe la meilleure, elle confia ses deux plus jeunes enfants à Mlle Césarine, et, emmenant le petit Louis, elle se dirigea vers l'hôtel de Mollens.

Les domestiques la connaissaient, car, bien qu'elle évitât avec sa discrétion habituelle de déranger la marquise, elle était venue trois ou quatre fois, sur l'invitation de l'aimable jeune femme, et Louis avait joué avec le petit Henry dont l'âge était à peu près le sien.

Elle fut introduite près de Mme de Mollens qui gardait la chambre ce jour-là, étant un peu souffrante. Le marquis faisait la lecture à sa femme, et sur le tapis deux jolis enfants se roulaient joyeusement.

Micheline fut accueillie avec l'affectueuse cordialité dont Mme de Mollens et son mari usaient toujours avec elle. Henry, appelé aussitôt, emmena Louis tout radieux, et la marquise s'informa des nouvelles des plus petits.

— Ils ne vont toujours pas bien, madame. C'est même pour cela que je me suis permis de venir aujourd'hui. J'avais un conseil à vous demander.

— Nous sommes tout à fait à votre disposition, dit M. de Mollens. Et surtout, je vous le répète une fois de plus, ne vous gênez jamais avec nous.

— Merci, monsieur. Oh ! je connais si bien votre bonté. Je sais, par expérience, que je peux compter sur vous. Mon pauvre Cyprien vous aimait tant !

Des larmes jaillirent des yeux de la jeune femme. Mme de Mollens lui pressa doucement la main, tandis que le marquis disait avec émotion :

— Moi aussi, je l'aimais, mon cher Mariey. Aucun des ouvriers que j'ai fréquentés depuis plusieurs années ne m'inspirait une plus profonde estime et une plus grande affection.

— Oui, il était si loyal, si délicat. Enfin, que la volonté de Dieu soit faite ! murmura Micheline en essayant de refouler ses larmes. J'essaye d'être forte et courageuse à cause de mes pauvres petits. Et je venais précisément, à propos d'eux, vous faire part d'une idée qui m'est venue. Vous savez peut-être, monsieur, que le père de Cyprien est mort il y a deux ans ?

— Oui, je me le rappelle. Il était jardinier, je crois ?

— C'est cela, à Meudon. Il vivait là seul, du produit de son travail, dans une petite maison qui lui appartenait, une sorte de petite bicoque très vieille, très incommode, que, lui disparu, Cyprien n'a jamais pu trouver à louer. Puisque l'air de Paris est nuisible aux enfants, j'ai songé à aller m'établir là.

— Mais c'est une très bonne idée, me semble-t-il. N'est-ce pas, René ?

— Très bonne, en effet, pourvu que la maison soit suffisamment logeable.

— Il y a, en tout cas, deux pièces encore en bon état. Je serais ainsi délivrée de la charge du loyer, si lourde pour moi, bien que je l'aie considérablement allégée en quittant notre logement pour la petite chambre près de Mlle Césarine. Là-bas, je pourrai continuer mon travail. Et les enfants seront au bon air, la maison étant entourée de jardins.

— Réellement, je trouve cette idée tout à fait pratique, déclara M. de Mollens. Pour vous-même, ce sera un arrangement parfait, car vous vous anémiez dans cette petite chambre mal aérée, avec ce labeur acharné auquel vous vous livrez. Là-bas, vous aurez au moins l'air et le soleil ; la question du loyer vous laissera en repos. Oui, vraiment, il me semble qu'il n'y a pas à hésiter.

Quand Micheline, une demi-heure plus tard, prit congé de Mme de Mollens et du marquis, le jour commençait à tomber. Bien que l'on fût en décembre, l'air était presque tiède, et la jeune femme, cédant au désir de Louis, prit les voies larges et bien éclairées qui allongeaient un peu le retour.

Elle tenait l'enfant par la main et souriait au récit des amusements variés dont Henry de Mollens avait gratifié son petit camarade.

— Oh ! maman, les belles oranges ! dit tout à coup l'enfant.

Son petit doigt se tendait vers une charrette remplie des fruits d'or.

— Tiens, sais-tu ce que nous allons faire, mon petit Louis ? Achetons-en deux pour Célestin et Martine. Ils seront bien contents, et Mlle Célestine aussi. Ce sera une petite manière de la remercier de toutes ses bontés.

Et la jeune femme s'approcha de la voiture pour choisir les oranges.

Elle avait un court instant lâché la main de Louis. Quand elle voulut la reprendre, elle s'aperçut que l'enfant n'était plus près d'elle.

Il n'était pas loin pourtant, elle l'aperçut sur la chaussée. Et, en même temps, elle vit une automobile qui arrivait, ses phares allumés, droit sur l'enfant.

En un bond, elle était près de lui, le saisissait, l'enlevait. Le chauffeur serrait ses freins, la voiture s'arrêtait au moment où elle frôlait la mère et l'enfant.

De l'intérieur, quelqu'un se pencha, une tête d'homme aux traits accusés, à l'élégante barbe noire et frisée. Son regard tomba sur la jeune femme qui venait de se reculer et se trouvait sous la pleine lumière d'un réverbère, ses bras serrant l'enfant contre elle, son pâle visage encore plein d'effroi, d'une beauté saisissante, avec l'expression de tragique angoisse qui remplissait son regard.

L'étranger tressaillit, une émotion soudaine parut sur sa physionomie froide et indifférente.

— Micheline ! murmura-t-il.

Déjà le chauffeur, avec un juron à l'adresse de ces « stupides piétons », remettait l'auto en marche.

— Attendez, Richolle ! dit son maître.

Mais Micheline s'éloignait, son fils toujours serré contre elle. Dans ce visage tourné vers elle, son regard, encore affolé par le danger que venait de courir Louis, avait reconnu Prosper Louviers... Prosper, un des véritables auteurs de la mort de son mari !

— Vous pouvez marcher, Richolle ! dit le député en s'enfonçant à l'intérieur.

Une impression singulière venait de s'emparer de lui à la vue de celle qu'il avait aimée, alors qu'il n'était encore que l'ouvrier de Vrinot frères. Son cœur égoïste, dévoré par l'ambition, avait parlé une seule fois pour Micheline Laurent. La jeune passementière avait été son unique amour ; son âme, desséchée par l'impiété et les haineux désirs de bien-être et de domination, avait ressenti un involontaire respect, une émotion, jamais éprouvée depuis, chaque fois qu'il avait rencontré le grave et pur regard de Micheline.

« Elle doit être mariée, songeait-il, tandis que l'auto filait le long du boulevard. Veuve peut-être, car elle était tout en noir. Elle est aussi jolie qu'autrefois, bien que d'une autre manière, autant que j'ai pu en juger si brièvement. »

Il revenait aux souvenirs de jadis, alors qu'il occupait avec Zélie ce pauvre petit logement. Quel chemin parcouru depuis lors ! Non, il ne regrettait pas d'avoir résisté au désir d'épouser alors Micheline. A ce moment, elle aurait entravé son avenir, tandis que le million apporté en dot par la jeune personne laide et inintelligente devenue sa femme l'avait puissamment aidé à acquérir la situation d'aujourd'hui. Mais il songeait maintenant que jamais il n'avait tout à fait oublié Micheline et que cette rencontre réveillait en lui un sentiment qu'il croyait bien éteint.

« Allons, je suis fou ! grommela-t-il en montant l'escalier qui conduisait à son appartement. J'ai bien autre chose à faire que de songer à ce temps passé, le temps où je m'arrangeais pour la croiser dans la cour, sans jamais oser lui parler, sinon pour lui dire : « Bonjour, mademoiselle... Comment va votre mère ? » J'étais fameusement timide, ma foi, devant les airs sérieux de cette petite dévote ! »

Il se mit à rire ironiquement en levant les épaules et introduisit la clé dans la serrure de son appartement.

Un domestique vint au-devant de lui dans l'antichambre bien éclairée et lui enleva son pardessus tout en disant :

— Le courrier de Monsieur vient d'arriver.

Prosper entra dans son cabinet de travail, belle pièce richement meublée. Il s'assit devant son bureau et se mit à décacheter et à lire rapidement les lettres déposées sur un plateau d'argent.

Cela fait, il s'étendit dans son fauteuil et se prit à réfléchir longuement.

« Bah ! je peux toujours écrire à Clouet de s'informer ! murmura-t-il enfin. Je voudrais savor si elle est veuve. Peut-être a-t-elle épousé Cyprien, il paraissait fort l'apprécier aussi. »

Il attira à lui unc feuille de papier et se mit à la couvrir de sa haute écriture aiguë.

Le surlendemain, comme Prosper sortait de table son domestique vint lui présenter une lettre qu'il saisit vivement et décacheta tout en allant vers son cabinet. Il lut ces mots :

Je vous envoie, citoyen Louviers, les renseignements demandés. Ils m'ont été faciles à obtenir, la personne en question demeurant dans la maison en face de la mienne. Elle a trois petits enfants et est veuve d'un nommé Cyprien Mariey, une espèce de calotin, ouvrier électricien qui s'est fait tuer par les camarades dans la grève de l'année dernière, parce qu'il prétendait travailler quand même...

« Ce misérable Cyprien, qui a essayé de me faire le coup il y a un an, en compagnie de son marquis ! » murmura Prosper d'un ton de ressentiment haineux.

Il acheva de lire les renseignements qui suivaient, puis, posant la lettre sur son bureau, il alluma un cigare et se mit à marcher de long en large dans la pièce.

« Bah ! pourquoi pas ? murmura-t-il tout à coup. Ça ne ferait pas mal que je me remarie, maintenant que Zélie a trouvé l'époux de ses rêves. Et je puis désormais me payer le luxe d'une femme pauvre. Avec ça que j'obtiendrai un effet magnifique près de mes chers électeurs, quand ils sauront que j'épouse une humble ouvrière, et que je me charge en plus de ses trois enfants ! Si ce n'est pas de l'héroïsme pur, ça ! Bonheur et profit, je trouverai ainsi tout en même temps. Et maintenant, je n'aurai plus à me préoccuper de lui faire passer ses idées de dévotion ; je suis arrivé désormais, la chose ne me gênera plus, pourvu qu'elle n'exagère pas. La femme de Dulac va à la messe ; Potrel, le farouche socialiste, laisse faire la première communion à ses enfants. Non, je ne la tracasserai plus pour ça, maintenant, et elle n'aura ainsi aucune raison pour refuser. »

CHAPITRE VIII

A la lueur d'une petite lampe, Micheline travaillait, la tête penchée, un peu lasse. Près d'elle, Louis étudiait son catéchisme, à voix haute, pour le plus grand profit de Lucien qui semblait lui accorder une vive attention et répétait après lui certains mots, en zézayant, ce qui faisait rire Louis, et amenait un faible sourire sur les lèvres pâles de Micheline.

La petite Suzanne gazouillait dans son berceau, en agitant un hochet, don de son parrain. De temps à autre, Micheline tournait vers elle un regard plein de tendresse vigilante. Une atmosphère de calme, de grave sérénité, régnait dans la petite chambre strictement meublée du nécessaire, mais si bien en ordre toujours, qui avait remplacé pour la jeune veuve le gentil logement d'autrefois.

Un coup frappé à la porte vint faire tressaillir légèrement Micheline.

— Va voir qui c'est, mon chéri, dit-elle à Louis.

L'enfant se leva et s'en alla vers la porte qu'il

ouvrit. Une silhouette masculine s'encadra dans l'ouverture, puis, refermant la porte, s'avança de quelques pas.

Micheline se dressa debout avec une exclamation étouffée.

— Prosper Louviers !

— Oui, Prosper... votre cousin, Micheline.

Et, s'approchant, il lui tendait la main.

Elle recula brusquement, très pâle ; ses yeux, où passait une protestation indignée, se posèrent sur le visage un peu ému de Prosper.

— Mon cousin !... Vous !... Vous qui l'avez tué !

— Que voulez-vous dire ? s'écria-t-il.

— N'avez-vous pas su comment mon mari est mort ?

— Si, dans la grève... Il s'est entêté à travailler...

— Et ce sont les malheureux ouvriers exaltés par vos discours qui l'ont tué, mon Cyprien ! Le vrai coupable, c'est vous, Prosper Louviers ! Vous qui êtes intelligent, qui agissez sciemment, qui usez pour le mal de votre ascendant sur ces pauvres êtres égarés !

Elle se redressait, frémissant de tout son être, les yeux étincelants de fierté douloureuse.

Prosper avait eu un sursaut de colère. Il réussit à se dominer et dit avec douceur :

— Votre chagrin vous égare, Micheline. Je ne suis pas responsable des actes violents, des crimes de ces hommes de mentalité inférieure, que je cherche au contraire à élever, à rendre conscients de leurs droits.

— En les faisant marcher sur leurs devoirs les plus sacrés ? en les excitant au crime, à l'impiété ? Oh ! si, responsable, vous l'êtes ! dit-elle dans un élan d'indignation.

Les noirs sourcils de Prosper se rapprochèrent brusquement. Cependant, il reprit avec la même douceur :

— Je vous pardonne vos accusations injustes, Micheline, en raison de l'état d'esprit qui doit être le vôtre après ce grand malheur. Ayant appris celui-ci hier seulement, je venais à vous en parent, désireux de vous apporter mon aide en souvenir de mon cousin Cyprien.

— Lui ne vous considérait plus comme un parent, interrompit froidement Micheline. Vous-même, je crois, monsieur Louviers, l'aviez assez bien oublié, me semble-t-il ?

L'accent d'ironie de la jeune femme amena une lueur de colère dans les yeux sombres de Prosper. Il se contint pour répliquer avec un calme forcé :

— J'ai eu des torts, je le reconnais loyalement devant vous, Micheline. Mais j'ai l'ardent désir de les réparer aujourd'hui. C'est pourquoi je suis ici. Micheline, je viens vous demander si vous voulez me permettre de remplacer près de vous le pauvre Cyprien, si vous voulez devenir ma femme honorée et aimée ?

Elle eut un sursaut de stupeur et recula brusquement.

— Vous osez !... vous !... vous !...

Il redressa la tête, et, croisant les bras sur sa large poitrine :

— Oui, moi, Prosper Louviers, moi qui suis veuf comme vous, et qui vous demande de m'accepter pour votre époux. J'ai un fils, vos enfants seront élevés avec lui, je me chargerai de leur avenir.

— Taisez-vous ! balbutia-t-elle d'une voix étouffée.

— Si, vous m'entendrez, Micheline. Il faut que vous acceptiez, c'est mon bonheur qui est en jeu. Que craignez-vous ? Je n'ai pas, il est vrai, vos opinions religieuses, mais je les respecterai, je vous le promets, vous resterez libre d'élever vos enfants à votre gré, de pratiquer vous-même votre religion. Je vous ferai la vie heureuse, Micheline, et mon affection si profonde aura, je l'espère, le pouvoir de vous faire oublier cette douloureuse épreuve...

Micheline étendit les mains dans un geste d'horreur.

— Sortez ! je ne vous écouterai pas une minute de plus ! N'avez-vous pas compris que vous n'êtes à mes yeux qu'un misérable hypocrite ? Ne sentez-vous donc pas que vous m'êtes odieux ?

Il eut un sursaut de fureur et s'avança vers elle, la rage dans les yeux.

— Ah ! vous osez ! Lorsque moi, riche, arrive, je m'abaisse à solliciter la main d'une pauvre ouvrière, c'est par ces insultes que vous me répondez ! Mais je veux un assentiment, je le veux, Micheline !

Les grands yeux bleus de la jeune femme se posèrent sur lui, intrépides et hautains.

— Avez-vous donc envie, monsieur, que je vous laisse voir toute ma pensée ? Faut-il, pour votre contentement, que Micheline Mariey vous dise qu'elle n'a pour vous, l'égoïste jouisseur, le lâche excitateur du pauvre peuple, que le plus profond mépris ?

Un blasphème s'échappa des lèvres de Prosper. Sa face s'empourpra de fureur, il ébaucha un geste menaçant. Mais Micheline, très calme, serrant entre ses doigts frémissants la petite croix qui retombait sur son corsage, dit froidement :

— Au moindre appel, les voisins accourront. Vous devez vous rappeler que les murs sont des cloisons ici. Je vous conseille donc de sortir immédiatement, à moins que vous ne teniez à être reconnu, ce dont je doute, car vous avez choisi probablement à dessein cette heure tardive, et vous avez raison, certaines gens d'ici se rappellent encore le Prosper Louviers d'autrefois.

Il recula comme un animal dompté. D'un geste violent, il enfonça sur sa tête le chapeau qu'il avait enlevé en entrant.

— Vous voulez ma haine ? dit-il d'un ton de sourde fureur. Eh bien ! soyez satisfaite, vous l'avez. Et Prosper Louviers n'est pas de ceux qui oublient.

Il sortit brusquement, en abaissant encore davantage son chapeau sur ses yeux. A la porte du couloir, il se heurta à Mlle Césarine et passa très raide, sans même une excuse.

La vieille fille rentra chez elle, jeta un coup d'œil sur ses protégés, puis elle alla frapper chez

Micheline pour lui remettre une petite commission dont l'avait chargée sa voisine.

En entrant, elle eut une exclamation d'inquiétude à la vue de la jeune femme, affaissée sur sa chaise, la tête entre ses mains, tandis que les deux petits garçons la regardaient avec consternation.

Micheline leva la tête, montrant son visage inondé de larmes.

— Ce n'est rien, mademoiselle Césarine, la réaction seulement. Oh ! si vous saviez qui vient de venir ici !

— Qui donc, ma petite amie ?

— Prosper Louviers ! Et il m'a demandé, il a osé me demander de devenir sa femme !

Mlle Césarine, un moment abasourdie, s'exclama enfin :

— Oh ! ce n'est pas possible !... Que me racontez-vous là, mon enfant !... Ce serait donc lui que j'ai croisé tout à l'heure en rentrant et qui a manqué me renverser ?

— Il était furieux... Je lui ai dit franchement ce que je pensais de lui ; je lui ai montré que je savais ce qu'il était sous les apparences de bonté et de désintéressement dont il essayait de se revêtir... J'ai vu le moment où il allait me menacer. Mais j'étais forte, j'avais Dieu avec moi...

Et, sa voix frémissante encore d'émotion indignée, elle raconta à sa fidèle amie la scène qui venait de se dérouler.

— Le malheureux hypocrite ! dit tristement Mlle Césarine. Je ne parle pas de ses sentiments à votre égard, ils sont peut-être sincères. Mais son prétendu intérêt pour les ouvriers, ces pauvres gens dont il se sert comme marchepied !... Et cet aplomb de se dire irresponsable des violences commises par eux à son instigation !... Allons, calmez-vous maintenant, ma petite Micheline, oubliez cette pénible scène. Ce triste personnage ne peut vous nuire, et d'ailleurs nous sommes là, nous, vos amis fidèles... Venez, Louis, mon petit Lucien, venez embrasser maman pour la consoler.

Oh ! oui, parce que le vilain monsieur l'a fait pleurer ! dit Louis en tendant ses petits bras vers sa mère.

Elle le prit, le serra contre elle en murmurant :

— Vous êtes mes trésors... vous êtes le bien-aimé souvenir de mon Cyprien !

CHAPITRE IX

Micheline quitta Paris au début du printemps pour s'installer dans la petite maison de Meudon. Ce lui fut un véritable chagrin de s'en aller de cette demeure où elle avait vécu pendant tant d'années, d'abord avec sa mère, dans la pauvre mansarde du cinquième, puis avec Cyprien dans leur gentil logement, et enfin, ces derniers temps, près de Mlle Césarine qui lui avait été si souvent d'un inappréciable secours, qui l'aimait véritablement comme une jeune sœur.

Mais la santé des enfants exigeait ce sacrifice, et Micheline en fut bientôt récompensée en voyant les chers petits êtres perdre leur teint trop pâle et se fortifier à vue d'œil.

Elle travaillait comme à Paris, mais l'air plus pur enrayait l'anémie qui l'avait un instant menacée. Courageuse et doucement résignée, elle se donnait tout entière à son devoir maternel, sans songer un instant que le bien-être, la vie facile et luxueuse lui avaient été offerts avec la sécurité pour l'avenir de ses enfants. Elle bannissait soigneusement de son esprit le souvenir de cette scène provoquée par la visite de Prosper Louviers, à cause de l'impression désagréable, de l'angoisse singulière qu'elle en ressentait.

Elle avait cependant tout raconté à M. de Mollens et à sa femme qui venaient la voir parfois et à qui elle ne cachait rien des différents incidents de sa vie.

— Ce misérable ne manque pas d'aplomb ! avait dit le marquis avec indignation. Il n'a donc plus l'ombre de conscience, pour oser insister encore près de vous dont il a tué le mari, car, en réalité, lui est le grand coupable. Depuis quelque temps, ses discours aux ouvriers sont d'une violence inouïe, et il compte, à la Chambre, parmi les plus forcenés. Sa sœur s'est remariée, elle a épousé un grand dignitaire de la franc-maçonnerie, beaucoup plus âgé qu'elle, mais très riche. Quel triste monde que tout cela !

Un après-midi d'été, Mme de Mollens arriva à Meudon en compagnie de Mlle Césarine. Celle-ci n'aurait pu distraire de son maigre gain de quoi payer ce voyage, si minime qu'il fût, d'autant moins qu'elle venait de recueillir une petite fille aveugle et sourde qui portait à trois le nombre de ses protégés. Mais la marquise, n'ignorant pas le secret désir qu'avait l'excellente vieille fille de revoir sa chère Micheline et les enfants, était arrivée chez elle le matin et lui avait dit :

— Je vais à Meudon et je vous emmène, mademoiselle Césarine.

Une bonne voisine avait accepté de garder les

jeunes infirmes, et Mlle Césarine était partie, toute radieuse, avec sa charitable compagne.

Ce fut une joyeuse surprise pour Micheline. Tandis qu'Henry de Mollens, qui avait accompagné sa mère, s'en allait avec Louis et Lucien dans le jardin devenu inculte depuis la mort du père Mariey, les trois femmes s'assirent et demeurèrent à parler dans la petite salle un peu délabrée où Micheline travaillait tout le jour.

Quand cinq heures sonnèrent, la marquise et Mlle Césarine se levèrent pour prendre congé de la jeune veuve. Mais Micheline dit qu'elle les accompagnerait un peu, car il lui fallait aller acheter des légumes nécessaires à la soupe du soir.

— Louis restera avec Suzanne que je ne veux pas emmener aujourd'hui, car elle est très enrhumée, ajouta-t-elle.

En enfant bien élevé, Louis ne protesta pas, mais il regarda d'un œil de regret s'en aller les visiteuses et Henry de Mollens, qui gambadait avec le petit Lucien.

La fruiterie où s'approvisionnait Micheline n'était pas loin ; la jeune femme, après avoir dit adieu à Mme de Mollens et à sa compagne, eut vite fait ses petites provisions. Elle revint avec Lucien, en se hâtant un peu comme toujours lorsqu'elle laissait ses enfants seuls, car, malgré le précoce sérieux de l'aîné, elle n'était jamais absolument tranquille.

— Cet étourdi de Louis a oublié de fermer derrière nous ! murmura-t-elle en voyant ouverte la petite porte de bois déteint qui donnait accès dans l'étroite plate-bande s'étendant devant la maisonnette.

Lucien courait en avant, il entra le premier dans la salle et jeta un cri perçant.

— Quoi ?... Qu'as-tu, mon petit ? s'écria Micheline en s'élançant.

Mais une exclamation de terreur s'échappa de sa gorge. Au milieu de la salle était étendu Louis, inanimé, un filet de sang coulant de son front.

Elle courut à lui, le releva, l'emporta vers le lit. Mais son regard tomba sur le berceau où tout à l'heure dormait Suzanne, et elle s'arrêta, les yeux hagards. L'enfant n'était plus là...

Toutes les recherches, toutes les investigations de la police ne purent faire retrouver la petite disparue. La maisonnette, bâtie au milieu de jardins maraîchers, n'avait que des voisins assez éloignés, personne n'avait rien remarqué, sauf un vieux journalier qui dit avoir rencontré, près des bois, un homme jeune encore, petit et blond, vêtu en ouvrier, qui tenait dans ses bras un enfant endormi.

La malheureuse Micheline, torturée par la douleur, n'était plus reconnaissable. En quelques jours, elle avait vieilli de plusieurs années. Mme de Mollens venait chaque jour la voir, elle emmenait souvent Mlle Césarine, et toutes deux aidaient la pauvre mère à soigner Louis, qui se remettait heureusement assez vite, sa blessure à la tête étant sans gravité.

L'enfant avait été interrogé, il raconta qu'à peine sa mère et les visiteuses étaient-elles par ties qu'un homme était entré, avait regardé tout autour de lui. Louis s'était levé en demandant : « Que voulez-vous, monsieur ? » L'homme, sans répondre, s'était avancé, avait donné à Louis un coup de poing sur la tête. L'enfant avait roulé à terre, son front avait frappé un des pieds de la table, et il s'était évanoui.

— Pourriez-vous me dire comment était cet homme ? demanda le commissaire de police.

— Il était petit, je crois... Mais autrement, je n'ai pas remarqué, répondit l'enfant.

Des saltimbanques avaient été signalés aux environs le jour de l'enlèvement ; on les rechercha, on les retrouva facilement, mais, en admettant qu'ils fussent l'auteur du rapt, l'enfant avait été cachée soigneusement et aucun indice ne permettait de les accuser.

Les jours s'écoulèrent ainsi, jours de douleur pour la mère si cruellement frappée. Les cheveux blonds de Micheline blanchissaient, sa taille mince se courbait, ses traits fins se creusaient... Et l'année s'acheva sans amener de nouvelles de la petite disparue.

CHAPITRE X

La brise agitait doucement la toile rayée de rouge qui abritait la terrasse des rayons du soleil de mai, elle venait caresser le visage aux traits accusés, la noire et épaisse chevelure du jeune homme étendu sur une chaise longue. Inactif, les traits rigides, il laissait se perdre, dans la profondeur du jardin ensoleillé, le regard morne, farouche, de ses prunelles noires.

Près de lui était assise une jeune fille qui brodait diligemment. Elle était svelte et délicate, son profil apparaissait très fin, et une lourde chevelure blond cendré retombait sur sa nuque en une épaisse torsade.

Le calme le plus complet régnait dans le jardin et dans l'habitation, superbe villa moderne, l'une des plus luxueuses du riche quartier qui s'est élevé sur l'emplacement de l'ancien parc de la Maye ; mais, à côté, retentissaient de temps à autre de jeunes voix joyeuses, des éclats de rire qui faisaient se froncer les noirs sourcils du jeune homme.

— Quel ennui d'avoir des voisins ! Je voyais

avant tant de satisfaction cette maison inhabitée ! dit-il tout à coup d'un ton de mauvaise humeur.

Il avait fait cette réflexion comme pour lui seul, sans paraître s'adresser à sa compagne. Celle-ci continuait à coudre en silence. Le jeune homme tourna la tête vers elle et dit avec colère :

— Daigneras-tu faire attention à ce que je dis, Claudine ? Je n'aime pas avoir l'air de parler à une sourde.

Elle arrêta le mouvement de son aiguille et leva les yeux, de grands yeux bleus fiers et sérieux.

— Ce que tu disais ne demandait pas de réponse, me semble-t-il ? fit-elle tranquillement.

Il riposta d'un ton acerbe :

— Crois-tu que je m'amuse à parler pour moi tout seul ? Tu es réellement désagréable, Claudine ! Tiens, laisse cette sempiternelle broderie qui me porte sur les nerfs et lis-moi le journal.

Un bref mouvement d'agacement agita les mains fines de la jeune fille. Cependant elle posa aussitôt son ouvrage sur la table près d'elle en demandant :

— Lequel ?

— Celui de père. Lis-moi son discours d'hier à la Chambre.

Elle prit un des journaux déposés sur la table et le déplia lentement. Puis elle se mit à lire, d'une voix claire, très nette et extrêmement agréable.

Le député Prosper Louviers était monté la veille à la tribune pour réclamer contre le clergé des mesures d'exception. Il l'avait fait en termes d'une excessive violence, qui avaient soulevé les interruptions indignées de la droite et du centre. Et, en répétant ces phrases où perçait la haine, où s'étalait la plus révoltante injustice, la voix de Claudine faiblissait, semblait hésiter.

Alexis, la tête un peu penchée, écoutait sans qu'aucune impression parût sur sa physionomie impassible. Il dit tout à coup d'un ton satisfait, en interrompant la jeune fille au milieu d'une période :

— A la bonne heure, père les traite comme ils le méritent, ces curés ! Voilà un discours qui est parfait, n'est-il pas vrai, Claudine ?

Un peu d'embarras voila le regard de la jeune fille.

— Je ne sais pas... murmura-t-elle.

— Comment, tu ne sais pas ? fit sèchement Alexis. Que veux tu dire ?

Un mélange de crainte et de décision s'exprimait dans les yeux de Claudine.

— Oui, je ne sais pas si... si ton père n'exagère pas un peu.

Une irritation soudaine enflamma le regard du jeune homme.

— Que signifie ? Tu crois qu'il accuse à tort toute cette prêtraille ?

— Je ne dis pas cela, mais enfin, vois-tu, je ne peux pas m'empêcher de penser qu'ils ne sont pas si noirs que cela. A Lixen, il y avait un jeune prêtre qui était pour tous les pauvres d'une bonté admirable. Mes parents nourriciers, fort loin d'être des cléricaux pourtant, disaient : « Ça, c'est un homme comme il n'y en a pas beaucoup. » Et dans une commune voisine, le curé, un vieillard, se tuait au service de ses paroissiens. Alors, je pense qu'il y en a peut-être un certain nombre comme cela et qu'il ne faudrait pas les accuser tous.

Alexis se dressa brusquement sur sa chaise longue. Sa physionomie exprimait une froide colère.

— Dis plutôt que mon père est un menteur ! Et c'est toi, pauvre ignorante, qui oses juger !... Va-t'en, tiens ! va-t'en !

Il saisit le journal et le lacéra entre ses doigts nerveux. Claudine se leva, des larmes plein les yeux, et, quittant la terrasse, traversa un salon luxueusement meublé. Comme elle en ouvrait la porte, la voix d'Alexis lui parvint, adoucie, semblait-il.

— Claudine !

Mais elle ne parut pas l'entendre, elle gravit rapidement l'escalier couvert d'un tapis oriental garni de baguettes de cuivre et entra dans une chambre claire et coquette, où flottait le parfum des roses qui commençaient à fleurir dans les parterres.

Claudine s'approcha d'une fenêtre ouverte, elle s'accouda à l'appui et laissa errer sur la ligne sombre des bois son regard où les larmes s'étaient séchées pour laisser place à une expression de sourde révolte.

« On parle toujours de liberté, ici. Et pourtant, je n'ai même pas le droit d'avoir une opinion à moi ! murmura-t-elle. Ils font de moi une sorte d'esclave. Sans doute, croient-ils me dédommager suffisamment en me laissant participer à leur bien-être, à leur luxe. Après cela, on peut faire endurer toutes les humiliations à l'enfant trouvée, élevée grâce à la charité de M. Louviers ! »

Ses beaux yeux bleus s'imprégnaient de dureté, d'une sorte de ressentiment haineux. Et toutes les phases de sa vie lui revenaient à l'esprit, tandis qu'une tristesse irritée l'envahissait, voilait d'une ombre douloureuse son jeune regard.

Elle avait été trouvée sur la route de Clermont à Riom par Prosper Louviers, qui faisait dans ces parages une petite randonnée en automobile. Personne, dans le pays, ne savait qui elle était. Le député l'avait confiée à une paysanne du village de Lixen, il avait généreusement payé pour elle, en spécifiant toutefois que l'enfant devait être élevée sans religion. La chose ne gênait pas la nourrice, et encore moins son mari, admirateur de Prosper. On avait appelé l'enfant Claudine, et elle avait vécu jusqu'à l'âge de huit ans comme une petite paysanne. Le député l'avait alors fait entrer dans un lycée de province, dont la directrice était toute dévouée à ses idées. Claudine avait reçu une instruction très étendue, dont avait profité sa vive intelligence. En même temps on lui insufflait soigneusement la haine de la religion et le dédain pour toutes les vieilles entraves morales que l'avènement du socialisme ferait enfin disparaître de la société.

Dans quelle mesure Claudine avait-elle profité de ces enseignements, personne ne le savait, pas même la directrice qui avait mis tous ses soins à modeler ce jeune cœur selon les vues exprimées par Prosper Louviers.

— Faites-en une femme sans préjugés, une vraie socialiste, avait dit le député.

Mais personne ne savait ce qui se cachait sous le calme un peu fier de Claudine, sous la douceur un peu dédaigneuse de ses grandes prunelles bleues.

Elle semblait se donner tout entière à l'étude et ignorer la coquetterie, les désirs de luxe et de plaisir. Cependant, elle avait une sorte de mouvement répulsif et comme effrayé en passant devant de pauvres demeures, ou en croisant des gens misérablement vêtus, tristes ou souffrants. Une interrogation angoissée, une mélancolie intense, s'exprimaient alors dans son regard souvent songeur.

Elle avait passé toutes ses vacances chez le député, qui était très généreux à son égard et se faisait appeler par elle « oncle Prosper ». Il exigeait en retour de sa pupille une soumission absolue et se montrait toujours pour elle fort autoritaire, ne craignant pas, au besoin, s'il se heurtait à quelque résistance, de rappeler qu'elle lui devait tout et qu'il pouvait tout supprimer.

Claudine avait été, pendant ces séjours chez Prosper, la compagne de jeu d'Alexis Louviers et de Léon Morand, le fils de Zélie. Celle-ci, veuve une seconde fois et héritière de la fortune de son mari, était venue tenir la maison de son frère qui ne s'était pas décidé à se remarier. Son fils, un gros garçon blond à la fois mollasse et brutal, avait d'abord voulu tyranniser Claudine comme il le faisait pour les camarades plus jeunes ou moins vigoureux que lui, mais la petite fille avait trouvé un défenseur en Alexis. Défenseur un peu singulier, car il ne se privait pas, pour sa part, en y mettant toutefois certaines formes ignorées de son cousin, de la soumettre à sa volonté despotique d'enfant gâté, idolâtré par son père.

Prosper, en effet, avait senti céder son indifférence des premières années devant l'extrême intelligence, l'apparence vive, robuste et décidée, de cet enfant qui était son fils. Bientôt, il l'avait aimé avec une sorte de passion, et Alexis était devenu le maître de la demeure paternelle.

De tous ceux qui habitaient chez le député, c'était Alexis que Claudine préférait. Son âme enfantine avait-elle saisi ce qui différenciait le jeune garçon de son père, de sa tante et de Léon — la droiture, une franchise un peu sèche parfois, une certaine élévation d'âme que ne pouvait malheureusement développer l'éducation athée donnée par le député collectiviste à son fils — ou bien, malgré les exigences impérieuses d'Alexis, voyait-elle surtout l'affection réelle qu'il lui témoignait, sa bonté un peu railleuse souvent, mais qui savait parfois se faire aimable, presque délicate ? Toujours est-il que, seule, la pensée de le revoir atténuait un peu l'ennui qui la saisissait à l'approche des vacances.

Mais quelques instants suffirent à tout transformer, à briser les rêves ambitieux que Prosper Louviers fondait sur l'adolescent.

Au cours d'une excursion en montagne, Alexis fit une chute effroyable. Personne ne s'expliqua qu'il ne fût pas tué sur le coup. Il demeura longtemps entre la vie et la mort, et quand on put le dire sauvé, il était infirme, irrémédiablement.

Prosper, dont la douleur concentrée était terrible, quitta alors Paris et vint s'installer à Versailles, afin de procurer à son fils un air plus pur. Un désespoir farouche s'était emparé d'Alexis frappé en pleine jeunesse, en pleine vigueur. Pendant longtemps, il refusa de voir ses amis, et même son cousin dont la robuste santé l'irritait au plus haut point. Son caractère était devenu sombre et irascible ; à certains jours, personne n'osait l'approcher, même son père qui l'entourait — il fallait lui rendre cette justice — d'un dévouement extrême, des soins les plus vigilants et guettait le moindre de ses désirs pour le satisfaire aussitôt.

C'est ainsi qu'un jour, entendant le jeune homme s'écrier : « Ah ! si Claudine était ici, je ne m'ennuierais pas tant ! » il télégraphia aussitôt pour que sa pupille arrivât immédiatement.

Claudine, qui venait d'avoir seize ans, se trouva dès lors enchaînée près de la chaise longue d'Alexis. L'affection qu'elle lui portait aurait rendu cette tâche assez facile et douce à la jeune fille, sans le changement survenu dans le caractère de l'infirme. Aigri et sourdement révolté, il laissait libre cours à ses instincts tyranniques et prétendait faire de Claudine une esclave, dont toutes les opinions, tous les goûts devaient être conformes aux siens. Mais la nature franche et fière de Claudine ne pliait pas si aisément ; elle ne craignait pas, parfois, de laisser voir des idées personnelles. Ces essais d'indépendance morale avaient le don d'exaspérer Alexis, parfois jusqu'à la violence, ainsi qu'il en avait été aujourd'hui. Claudine avait à subir toutes les bourrasques de ce caractère ombrageux, Alexis ne lui ménageait pas les paroles dures ou mordantes que ne parvenaient pas à faire oublier ses rares moments de bienveillance et de relative douceur.

Claudine ressentait profondément les blessures ; un peu de révolte, lentement, avait germé en elle, et, sans en avoir une exacte conscience, elle se détachait de celui qui semblait prendre plaisir à la faire souffrir, à la courber sous le joug de ses volontés.

Jusqu'ici, cependant, elle avait toujours pu retenir ses larmes, ne voulant pas, par fierté, donner à Alexis cette jouissance de la voir souffrir. Mais aujourd'hui, elles s'étaient échappées malgré elles. Peut-être était-elle plus nerveuse, ou bien s'était-il montré plus dur, plus injuste encore qu'à l'ordinaire. Maintenant, il devait être satisfait puisqu'il était arrivé à la faire pleurer.

« Je crois que je te déteste ! » murmura-t-elle avec une sorte d'âpreté.

Son regard, se détachant de l'horizon, barré par les frondaisons des bois, se posait sur la demeure voisine, grande villa faite de briques nuancées et garnie sur toute sa façade de feuillage léger. Sans affecter les allures de petit château de la villa Lætitia, demeure du député collectiviste, elle était d'aspect extrêmement élégant et confortable.

Deux jeunes filles brunes et sveltes se promenaient de long en large devant le perron. L'une d'elles se penchait vers sa compagne qui lisait une lettre, et un rire frais parvenait de temps à autre aux oreilles de Claudine.

Elles s'interrompirent tout à coup, et l'une d'elles s'écria :

— Ah ! voilà papa et Henry !

Deux hommes apparaissaient dans la petite allée contournant la grande pelouse du centre : le père et le fils, évidemment, car la ressemblance entre eux était frappante. Très grands, d'allure extrêmement aristocratique, ils avaient les mêmes traits réguliers, la même expression virile et un peu froide. Le plus âgé était en costume de ville, le plus jeune portait avec élégance la petite tenue de sous-lieutenant de dragons.

Leur physionomie s'éclaira d'un même sourire très doux à la vue des jeunes filles qui s'avançaient au-devant d'eux.

— Vous aviez l'air de nous attendre, mes petites filles. Est-ce que nous sommes en retard ?

demanda le père en mettant un baiser sur les jeunes fronts qui s'offraient à lui.

— Mais non, papa, Robert n'est pas encore rentré.

— Le voilà, dit l'officier qui s'était légèrement détourné en entendant la grille s'ouvrir.

Un garçonnet d'une dizaine d'années, portant la casquette de l'école Saint-Jean, arriva en courant et en criant :

— Papa, Henry, je suis premier en version allemande ! C'est chic, ça, n'est-ce pas ?

— A la bonne heure ! dit le père en passant la main sur les cheveux bruns de l'enfant. Au moins, notre voyage de l'année dernière n'aura pas été inutile, puisqu'il te fait faire tant de progrès. Je suis très content, Robert ?

— Et moi aussi, mon petit, ajouta le lieutenant en donnant une tape amicale sur la joue de son frère. Si les mathématiques marchaient seulement aussi bien, hein, Robert ?

L'enfant eut une légère grimace, et, secouant la tête, s'élança vers le perron où venait d'apparaître une dame d'apparence jeune encore, charmante et extrêmement distinguée dans une toilette d'intérieur d'une élégance très sobre.

Ils rentrèrent tous ensemble, et Claudine les suivit d'un regard où se mêlaient la douleur et l'envie.

« Comme ils doivent être heureux ! murmura-t-elle. Pourquoi y en a-t-il comme cela ? et puis d'autres, de pauvres êtres sans famille, sans nom même, comme moi ? Pourquoi y en a-t-il qui ont tout et d'autres rien ? »

La pendulette de Saxe sonna lentement douze coups. Claudine passa la main sur son front et s'approcha d'une glace afin de voir si les larmes avaient laissé quelque trace sur son visage. Non, il n'y paraissait pas. Mais elle n'avait jamais remarqué comme aujourd'hui la pâleur et la fatigue de sa physionomie.

Elle descendit avec lenteur, peu pressée de se retrouver avec Alexis. Il était déjà dans la salle à manger, où deux domestiques l'avaient porté sur sa chaise longue. Son père, debout près de lui, parlait avec quelque animation, et Zélie, assise à sa place, parcourait un journal.

Prosper Louviers avait vieilli depuis l'accident de son fils ; sa haute taille s'était légèrement courbée, son teint avait jauni et ses traits se creusaient. Mais il avait toujours son regard d'autrefois, intelligent et froid, et cette allure d'homme satisfait de lui-même que lui avaient donnée ses succès politiques et sa grosse fortune.

Zélie avait pris quelque peu d'embonpoint, à son grand désespoir ; elle ne pouvait réussir, malgré tous ses soins, à dissimuler entièrement l'irréparable outrage des années. Mais elle demeurait élégante comme autrefois, et toujours assoiffée de luxe, de fêtes, de plaisirs. Elle passait une partie de la semaine à Paris, fort heureusement pour Claudine, qui n'éprouvait déjà que trop souvent les effets du caractère peu facile de la sœur de Prosper, jalouse de la jeunesse et de la beauté de la pupille du député.

A l'entrée de Claudine, Louviers se détourna

brusquement, et elle vit, à l'expression de sa physionomie, qu'il y avait de l'orage dans l'air.

— Ah ! voilà mademoiselle la discoureuse ! dit-il d'un ton sarcastique. Il paraît, mademoiselle Claudine, que vous énoncez des opinions subversives, que vous défendez les curés, que vous vous permettez de blâmer votre tuteur.

— J'ai dit, père, qu'il était inutile de lui parler de cela ! interrompit la voix irritée d'Alexis.

Les sourcils du jeune homme se rapprochèrent violemment, une émotion pénible s'exprima dans le regard qu'il posait sur Claudine, très pâle, mais ferme dans l'attente de l'assaut.

— Mais si, mon cher enfant, il faut tirer cela au clair, savoir les idées que cette jeune personne se permet d'avoir.

— Cela me regarde, je m'en charge ! dit froidement Alexis. Nous arrangerons cela, elle et moi. Déjeunons vite, père, j'ai un peu faim, aujourd'hui.

Sans discuter davantage, le député s'assit en face de sa sœur, et Claudine, prit place à sa droite sans voir le coup d'œil de satisfaction méchante dont l'enveloppait Zélie.

La jeune fille toucha à peine aux mets qui lui furent présentés. Une sourde indignation grondait en elle, à la pensée qu'Alexis l'avait aussitôt accusée près de son père. Et elle n'était pas dupe de cette façon de la préserver du courroux paternel. Il voulait, comme toujours, se réserver le droit de lui faire sentir son autorité tyrannique en la morigénant impitoyablement, et Claudine savait par expérience que les reproches de son tuteur, si violents qu'ils pussent être, étaient moins pénibles à supporter que la mordante dureté et les froides colères de son fils !

Malgré ce qu'il avait prétendu, Alexis semblait manger sans le moindre appétit. Sa physionomie exprimait une préoccupation absorbante, et il ne répondait que par monosyllabes aux essais de conversation de son père. De temps à autre, son regard un peu anxieux effleurait le visage fatigué de Claudine, et, se durcissant soudain, se reportait sur Zélie, très occupée à savourer les plats délicats dus au talent de la cuisinière de Prosper Louviers.

— Sais-tu enfin qui sont nos nouveaux voisins, Zélie ? demanda le député comme on arrivait au dessert.,

— Ah ! oui, j'ai oublié de te dire. Des aristos pur sang, mon cher ami, et des cléricaux de la pire espèce ! Où donc ai-je entendu leur nom, autrefois ?... De Mollens...

Prosper eut un brusque mouvement.

— De Mollens ?

— Tu connais ça ?

Les lèvres de Prosper eurent une brève crispation.

— Oui, autrefois. Il a cherché à me jouer un tour, dans une conférence.

— Ah ! oui, avec ce coquin de Cyprien !

Les traits du député se contractèrent un peu. Il attira à lui un compotier rempli de fraises au parfum délicieux et s'en servit machinalement plein son assiette.

— Tiens, tu aimes donc tant que cela les fraises, maintenant ? fit observer Zélie.

Il eut un geste d'impatience et versa dans l'assiette de Claudine une partie du contenu de la sienne !

— Mais je n'en voulais pas ! murmura la jeune fille avec un mouvement de protestation.

— Avale-les tout de même. Tu m'ennuies à manger du bout des lèvres et à faire la mijaurée sur chaque plat, comme si la cuisine ne te plaisait pas. Ma cuisinière n'est peut-être pas assez bonne pour toi ?

Elle rougit sous cette froide raillerie et répondit d'une voix qui frémissait un peu :

— Vous savez bien, au contraire, que je ne suis pas difficile. Mais je n'ai plus faim du tout depuis quelque temps.

— Simagrées, tout ça ! dit Prosper en levant les épaules.

La voix d'Alexis s'éleva, brève et impérative comme à l'ordinaire.

— Passe-moi ces fraises, Claudine. Il ne faut pas te forcer, tu pourrais te faire mal.

Silencieusement, elle lui tendit l'assiette, sans le regarder. Allait-il devenir hypocrite, maintenant, en feignant de la sollicitude pour celle qu'il venait d'accuser près de son père ?

Zélie ricana et dit d'un ton moqueur :

— En voilà des idées ! Laisse-lui donc ces fraises, ça ne peut lui faire que du bien, à cette péronnelle.

— Je ne vous demande pas votre avis ! riposta

sèchement Alexis qui avait été élevé selon les principes modernes et ne prenait aucune forme pour répondre à sa tante.

— Oh ! ça te regarde, mon petit ! dit-elle en levant les épaules. Moi, je l'aurais bien forcée à les prendre, mais libre à toi de faire l'aimable, pour une fois.

Il lui lança un noir regard et se mit à avaler lentement les fruits parfumés, tandis que son père, pour changer la conversation qu'il craignait sans doute de voir tourner à l'orage, demandait :

— Ils sont nombreux, nos nobles voisins ?

— Le mari, la femme et cinq enfants, je crois. Ils habitaient auparavant rue du Parc-de-Clagny. Le fils aîné, sorti assez récemment de Saint-Cyr, est en garnison ici, aux dragons. Le cadet est séminariste à Saint-Sulpice.

— Oh ! là ! là ! quelle famille ! dit Prosper avec un rire narquois.

— Hein ? qu'est-ce que je te disais ? Le troisième garçon est externe à l'école à côté, les jeunes filles ont une institutrice.

— Mâtin ! tu as déjà des « tuyaux » sérieux ! As-tu donc été interviewer ces illustres personnages ?

— Tu peux croire ! Mais, avec les domestiques, on sait ce qu'on veut. Il paraît que toute la famille va chaque matin à la messe, qu'ils font tous des visites de charité, qu'ils s'occupent d'œuvres, de je ne sais quoi... Des modèles, enfin !

Et Zélie éclata de rire.

Prosper saisit un morceau de pain et le pétrit nerveusement.

— S'il y avait beaucoup de cléricaux de cette force-là, notre œuvre serait fameusement compromise ! murmura-t-il.

Un pli soucieux s'était creusé sur son front, et il ne s'était pas effacé lorsque, le café bu, le député se leva pour aller fumer dans le jardin.

Les domestiques reportèrent Alexis sur la terrasse. Claudine, après un moment d'hésitation, se dirigea aussi de ce côté. Elle prit sa broderie et, reculant sa chaise, s'assit assez loin du jeune homme.

Un long moment, le silence régna sur la terrasse. Claudine travaillait ; Alexis, la physionomie sombre, suivait d'un regard distrait le va-et-vient de son père à travers les allées du jardin.

— Claudine ! dit-il tout à coup.

Elle leva la tête en demandant froidement :

— Que désires-tu ?

— Pourquoi te mets-tu si loin de moi ? Rapproche-toi, j'ai à te parler.

Son accent toujours autoritaire n'avait pas la dureté habituelle.

Claudine obéit, elle se leva et s'approcha sans empressement, avec la même froideur empreinte sur sa physionomie.

Alexis se pencha un peu et posa sa main sur la sienne en levant vers elle ses yeux noirs adoucis soudain.

— Claudine, tu m'en veux ? J'ai été trop dur pour toi. Mais je n'aime pas la contradiction, de ta part surtout. Je voudrais que nous ayons les mêmes goûts, les mêmes opinions, que nous puissions lire sans parler dans l'esprit l'un de l'autre. Cela est possible, Claudine, si tu veux te laisser diriger par moi.

— Et pourquoi donc faut-il que ce soit moi qui soumette ma volonté, qui annihile mes idées personnelles devant les tiennes ? dit-elle avec un mouvement de révolte.

Une lueur d'impatience irritée passa dans les prunelles d'Alexis.

— Parce que tu n'es encore qu'une enfant, et que je ne puis souffrir que tu penses autrement que moi, dit-il sourdement.

Elle redressa la tête en répliquant d'un ton résolu :

— J'ai le droit de penser librement. Je me demande pourquoi on me le conteste ici.

Les doigts d'Alexis se crispèrent sur la couverture, des paroles irritées montaient à ses lèvres. Mais il se contint par un effort violent et dit avec calme :

— C'est bon, nous discuterons cela plus tard. Dis-moi seulement une chose. As-tu cru que c'était moi qui avais raconté à mon père notre scène de ce matin ?

— Mais je me demande qui aurait pu ? dit-elle avec froideur.

— Cela veut dire que tu m'as accusé ? Tu as pu croire que c'était moi ?

Un mélange de colère et de souffrance bouleversait sa physionomie, et Claudine sentit un peu d'émotion monter en elle, en chassant sa sourde rancune.

— Ce n'était pas toi ? Mais qui donc ?

— Ma tante était à la fenêtre de sa chambre, elle a entendu et a tout rapporté à mon père. Je me suis fâché contre elle, et j'ai dit à père qu'il ne fallait pas te gronder, que je me chargeais d'arranger cela avec toi. Dis-moi, ai-je jamais rien fait qui puisse te faire penser un seul instant que je sois capable d'aller rapporter comme cela ?

— Non, jamais rien, c'est vrai ! dit-elle spontanément. Je regrette beaucoup d'avoir eu ce soupçon. Mais tu avais été si dur pour moi que j'étais encore irritée, plus disposée à croire.

— Oui, je sais, j'ai eu tort. Mais tu m'avais exaspéré, petite rebelle. Allons, faisons la paix, et ne pleure plus, surtout !

Il lui tendait la main, et elle y mit la sienne sans hésitation. Mais sa physionomie demeurait un peu froide, et la tristesse qu'avait laissée dans son regard la scène du matin ne s'effaçait pas.

Alexis demeura un long moment silencieux et songeur. Ses doigts nerveux serraient la main de Claudine si fortement qu'elle murmura enfin :

— Tu me fais mal !

— Petite douillette ! dit-il d'un ton d'indulgente condescendance. On ne pourra réellement bientôt plus te toucher, moralement et physiquement !

Mais ses doigts, en se desserrant, laissaient voir une marque rouge sur la petite main blanche de Claudine.

— Est-ce que tu es vraiment fatiguée ? reprit-il avec une sorte d'intérêt hésitant, en l'enveloppant d'un regard investigateur.

— Oui, je me sens un peu faible, je perds tout à fait l'appétit. C'est de l'anémie, je pense.

— Probablement. Il te faudrait en ce cas beaucoup d'exercice. Ecoute, Claudine, tu sortiras tous les jours. Commence aujourd'hui, tiens, il fait très beau.

Elle demeura un instant saisie, n'osant croire à cette bienveillance, à cette sollicitude inaccoutumée.

— Eh bien ! qu'as-tu à me regarder comme cela ! dit-il avec une sorte d'impatience irritée. Va t'habiller, fais un tour aux environs, pas dans des endroits déserts, naturellement, et reviens vite pour que je te donne ta leçon de dessin.

Elle dit avec un peu d'émotion :

— Je te remercie, Alexis.

Il riposta, l'ironie dans le regard :

— Oh ! il n'y a pas de quoi ! C'est tout simplement pour ne pas avoir près de moi une si pauvre mine... Ce n'est pas pour toi, c'est pour moi que j'agis ainsi.

— Oh ! je n'en doutais guère ! murmura-t-elle avec une tranquille amertume, en détournant un peu la tête pour qu'il ne vît pas l'éclair douloureux jailli de son regard à cette nouvelle blessure infligée par sa bouche impitoyable.

La main d'Alexis saisit son poignet, la voix brève et un peu haletante du jeune homme demanda :

— Tu le crois réellement, Claudine ?... Tu ne penses pas que j'agis un peu pour toi ?

— Oh ! certes non ! dit-elle dans un élan de toute son âme.

Alexis laissa retomber sa tête sur les coussins de la chaise longue, en murmurant avec une intonation de sourde et poignante raillerie :

— Tu as raison. Va, va, Claudine, promène-toi, reviens avec de fraîches couleurs. C'est tout ce que je te demande, c'est ce que je veux... Pour ma seule satisfaction, naturellement.

Il eut un petit rire sarcastique qui résonna longtemps aux oreilles de Claudine, tandis qu'elle gagnait sa chambre pour obéir au nouveau caprice d'Alexis.

CHAPITRE XI

Oui, c'était un caprice, et qui devait rapporter à Claudine plus d'ennui que de satisfaction. Certes, il lui était agréable d'avoir chaque jour une heure de liberté, de pouvoir faire un peu d'exercice, de s'éloigner quelque temps de la luxueuse demeure qui était pour elle une sorte de prison. Mais, au retour, elle était accueillie par le regard soupçonneux d'Alexis, par ses questions impératives, par ses reproches.

— Où as-tu été ?... Qu'as-tu fait ?... Qui as-tu vu ?... Tu es restée bien longtemps aujourd'hui... Tu as l'air tout content... Que t'est-il arrivé ?...

Il n'était rien arrivé du tout. Claudine, ce jour-là, se sentait moins fatiguée, ou bien l'air pur et le soleil lui avaient mis un peu de joie dans l'âme. Et cette inquisition l'irritait peu à peu, augmentait son sourd ressentiment contre Alexis.

D'ailleurs, en dehors de ces instants de liberté qu'il voulait bien lui accorder, le joug s'appesantissait plus fortement que jamais sur elle. Alexis, depuis que son père avait fait quitter le lycée à sa pupille pour l'appeler près du jeune infirme, s'était fait le professeur de Claudine — et quel professeur c'était ! Non qu'il manquât de science, loin de là. Il avait fait de brillantes études, son esprit était à la fois original et profond, sa manière d'expliquer fort nette. Mais il ignorait totalement la patience, Claudine devait comprendre immédiatement sous peine de se voir couvrir de reproches mordants. De plus, la jeune fille devait s'incliner devant toutes les opinions énoncées par lui, sans avoir l'audace d'en discuter une seule. Et cependant, par un pénible esprit de contradiction, il lui demandait souvent son avis, ce qui obligeait Claudine, très franche, à énoncer des idées contraires aux siennes, et amenait des paroles dures ou violentes contre lesquelles cherchait vainement à se cuirasser la jeune fille.

Tout cela neutralisait l'effet qu'eût pu produire l'exercice pris régulièrement, et Claudine pâlissait, maigrissait de plus en plus. Souvent, aussi, elle avait des défaillances, des étourdissements. Mais elle n'en disait rien, et, en se voyant chaque jour un peu plus faible, elle songeait avec une sorte d'allégresse :

— Je ne vivrai plus bien longtemps, sans doute. Je serai délivrée enfin de cet esclavage, j'aurai le doux repos du néant.

Puis une tristesse immense montait en elle, et elle murmurait :

« Mais alors, pourquoi suis-je née ? Le malheur pendant la vie, et après la mort, plus rien ! »

Durant ses longues nuits sans sommeil, de pénibles pensées traversaient son cerveau fatigué, un tranquille désespoir s'infiltrait peu à peu en elle, elle s'abandonnait avec une sorte de bonheur à la faiblesse envahissante.

Un après-midi, au retour de sa promenade qu'elle raccourcissait chaque jour, elle eut un violent étourdissement à une centaine de mètres avant la villa, et serait tombée si un officier qui passait n'avait étendu la main pour la retenir.

Quand elle reprit conscience de ce qui l'entourait, elle reconnut le lieutenant de dragons aperçu un jour dans le jardin voisin de la villa Lætitia. Près de lui se tenait un tout jeune prêtre — un séminariste plutôt — qui avait avec lui une certaine ressemblance.

— Je vous demande pardon ! dit Claudine en rougissant. J'ai eu un étourdissement, mais c'est passé, je vous remercie, monsieur.

— Mais je suis trop heureux de m'être trouvé là, dit courtoisement l'officier en saluant.

Claudine fit quelques pas, mais elle chancela de nouveau et étendit la main pour se retenir à la grille du jardin qu'elle longeait.

L'officier, qui était resté discrètement en arrière avec son compagnon, s'avança vivement.

— Si j'osais vous prier d'accepter mon bras jusque chez vous, madame ? dit-il respectueusement.

— C'est tout près d'ici, la villa Lætitia. Mais vraiment je suis au regret...

Elle ne vit pas la brève impression de contrariété qui passait dans le regard du jeune homme à ces mots : « la villa Lætitia ».

— C'est tout près, en effet, dit-il d'un ton contraint. Appuyez-vous sur moi, vous ne craindrez rien ainsi.

Elle se laissa conduire, une sorte de brouillard tombait sur son regard et lui voilait tous les objets alentour.

A la grille de la villa Lætitia, un domestique était occupé à astiquer le cuivre de la boîte aux lettres. Le lieutenant s'arrêta en disant :

— Maintenant, vous voilà chez vous, madame.

Elle leva vers lui son regard qui reprenait peu à peu sa lucidité et exprimait une vive reconnaissance.

— Je vous remercie, monsieur. Sans vous, je serais tombée là.

Il s'inclina en répliquant :

— Je suis heureux que l'appui de mon bras ait pu vous éviter cet accident, madame.

Elle rencontra le sérieux et profond regard de ses grands yeux gris où passait une sorte de compassion, inspirée sans doute par la triste mine de sa jeune voisine. Ce regard adoucissait singulièrement la physionomie un peu froide et hautaine du jeune officier ; il lui donnait un charme indéfinissable qui frappa Claudine.

Elle lui adressa un nouveau remerciement d'une voix émue, et il s'éloigna vers la porte voisine avec le jeune abbé.

— Julien, donnez-moi votre bras pour me conduire jusqu'à la maison, je ne me sens pas bien du tout, dit Claudine au domestique qui considérait, bouche bée, l'officier et le prêtre.

Sur le perron, elle s'évanouit complètement. Prosper et Zélie, appelés aussitôt, la firent transporter dans sa chambre ; on manda un médecin. Celui-ci prescrivit le repos, des fortifiants, et, en sortant, il dit au député qui le reconduisait :

— Cette jeune fille est extrêmement anémique, il lui faut beaucoup de soins et de la distraction.

— De la distraction ! grommela Prosper lorsque le docteur l'eut quitté. Avec cela que je vais me gêner pour lui en procurer !

Il alla trouver son fils sur la terrasse. Alexis tourna vers lui un visage un peu anxieux.

— Eh bien ! père ?

— Ce ne sera rien, un peu d'anémie. Quoi qu'en dise le docteur, je crois que le meilleur moyen de guérir cela est de n'y pas faire attention. Les jeunes filles, ça aime à se faire plaindre et dorloter.

— Pas Claudine, elle est très courageuse. Il faut la faire bien soigner, père ; il faut qu'elle se repose. Je me passerai d'elle tant qu'il sera nécessaire.

— Mais non, ce n'est pas nécessaire ; le docteur dit qu'elle peut se lever, aller et venir, pourvu qu'elle ne se fatigue pas et qu'elle prenne beaucoup l'air. Mais tant qu'elle n'ira pas mieux elle ne pourra pas sortir seule.

— Cela lui a pourtant procuré, cette fois, le plaisir d'être reconduite ici par un bel officier de dragons, dit ironiquement Zélie qui apparaissait sur la terrasse.

— Qu'est-ce que vous dites ? demanda brusquement Alexis en se redressant sur la chaise longue.

— Mais oui, il paraît qu'elle a eu un étourdissement sur l'avenue et serait tombée si le fils du marquis d'à côté ne s'était trouvé là à point pour la retenir et l'aider à arriver jusqu'ici.

Les doigts d'Alexis se crispèrent un peu sur la couverture.

— Vous le connaissez, ma tante ?

— Oui, je l'ai aperçu deux ou trois fois, à cheval ; un superbe cavalier, ma foi ! Je le reconnais sincèrement, bien que tous ces gens-là me portent sur les nerfs, et que celui-là, particulièrement, ait une façon de nous regarder de haut ! Mais on vous fera baisser la tête, mon beau marquis ! L'avenir est à nous autres que vous méprisez !

Alexis interrompit sa tante d'une voix brève, un peu changée :

— Qu'est-ce qu'il lui a dit ?

— A Claudine ? Qu'est-ce que tu veux qu'il lui ai dit ? Ils n'avaient pas, du reste, le temps de faire la conversation ; la petite l'a remercié ; il lui a répondu que cela n'en valait pas la peine, qu'il avait été très heureux, quelque chose comme cela, enfin. Avais-tu peur qu'il ne lui ait adressé quelque compliment ? ajouta Zélie avec un petit rire moqueur.

Les sourcils d'Alexis eurent un violent froncement.

— Je suppose ce monsieur un homme bien élevé, dit-il sèchement. C'est bon pour Léon de commettre une inconvenance de ce genre !

— Voudrais-tu dire que mon fils est un mal élevé ? s'écria Zélie, rouge de colère.

— C'est le sentiment général, je crois, répliqua Alexis d'un ton de tranquille raillerie. Vous-même le lui avez dit un jour.

— C'était une manière de parler, mais je ne permets à personne de le juger ainsi ! s'écria-t-elle rageusement.

Prosper s'interposa :

— Allons, pas de dispute ! Tu as toujours la manie de provoquer Alexis.

— Oui, c'est toujours moi qui ai tort ! Tu gâtes outrageusement ton fils, tu le laisses me traiter avec la dernière impertinence. Mais ça ne durera pas longtemps comme ça, je t'en préviens !

Et, avec un air de Junon offensée, Zélie s'éloigna en faisant cliqueter les nombreux bracelets qui entouraient ses poignets.

— Qu'elle s'en aille donc ! murmura Alexis en laissant retomber sa tête sur le dossier de la chaise longue.

Prosper s'assit près de lui et posa la main sur son bras.

— Elle t'a fatigué, mon cher enfant ? Evidemment, elle est bien insupportable parfois, mais elle me rend service pour diriger la maison.

— Claudine la remplacerait parfaitement.

— Hum ! elle est bien jeune, et sa position

dépendante ne lui donnerait aucun poids vis-à-vis de la domesticité.

Alexis se mit à froisser nerveusement le livre qu'il tenait à la main. Il dit tout à coup :

— Cette position pourrait changer, si elle le voulait.

— Comment cela ?

— Oui, si elle devenait ma femme.

Prosper eut un sursaut de stupeur.

— Ta femme !

— Tu te dis sans doute que je suis fou, dans ma situation, de songer au mariage ?

— Non, non, Alexis, ne crois pas cela ! Mais cette enfant... trouvée... Et tu es si jeune encore ! Bien d'autres occasions se présenteront.

— Oui, des femmes qui consentiront à épouser pour sa fortune l'infirme que je suis ! dit Alexis avec une sourde violence. Cela, jamais ! Et, d'ailleurs, ne comprenez-vous pas que je l'aime, que je ne pourrais vivre sans elle ? Que m'importe le mystère qui entoure sa naissance ! Que m'importe sa pauvreté ! C'est elle que je veux, c'est elle seule qui sera ma femme !

Prosper saisit la main de son fils et enveloppa d'un regard plein d'affection inquiète la jeune physionomie bouleversée par une émotion puissante.

— Ne t'agite pas ainsi, mon enfant ! Tu feras ce qu'il te plaira, je ne désire que ton bonheur. Si tu crois que Claudine puisse te rendre heureux...

— Je ne connais pas ses sentiments pour moi.

Elle est très froide, je crains qu'elle ne m'aime pas, du moins pas comme je le voudrais.

— C'est bon, nous lui parlerons de cela un de ces jours.

— Non, pas encore, père, laisse-la se remettre complètement. Et puis, je préfère attendre quelques mois encore, pour l'étudier, pour essayer de savoir.

— Comme tu voudras. Nous allons seulement la soigner comme un petit coq en pâte, puisqu'elle est la future Mme Louviers.

— Si tu lui donnais une femme de chambre, père ? Avec sa santé si frêle, il y aura encore à craindre pendant quelque temps ces étourdissements, et il me paraît nécessaire qu'elle ait quelqu'un pour l'accompagner.

Prosper se mit à rire en passant une main caressante sur l'épaisse chevelure de son fils.

— Tu es jaloux, hein ! mon petit ? Tu as peur que ta Claudine ne rêve à quelque beau lieutenant ?

Les traits d'Alexis se durcirent, il murmura âprement :

— Je les hais tous !... Tous ceux qui sont beaux, vigoureux, élégants !... Et je voudrais, père, que Claudine pût ne jamais sortir d'ici !

CHAPITRE XII

Claudine, au bout de quelques jours, descendit de sa chambre ; elle reprit son existence accoutumée, un peu moins pénible qu'auparavant, car Prosper Louviers lui témoignait maintenant une certaine sollicitude, et Alexis atténuait ses exigences, se montrait beaucoup moins dur et autoritaire à son égard. Il s'occupait de lui faire remplir les prescriptions du médecin, il avait supprimé en partie les lectures qu'elle lui faisait parce qu'il avait remarqué qu'elles la fatiguaient. Et, parfois, il se montrait pour elle presque affectueux, comme avant son accident.

Mais ce changement, qui eût causé à Claudine un grand plaisir quelque temps auparavant, la laissait maintenant presque indifférente. Etait-ce sa faiblesse physique, toujours grande, qui la rendait ainsi rêveuse et distraite, insensible à tout ce qui l'entourait, bien qu'elle réussît, en apparence, à être semblable à autrefois ? Cependant, elle se fortifiait légèrement, et depuis ce jour où elle était tombée sans connaissance sur le perron de la villa, elle avait repris le désir de vivre.

Une femme de chambre d'un certain âge l'accompagnait maintenant dans ses promenades. Comme cette personne était intelligente et réservée, sa compagnie n'était pas pour lui déplaire, elle lui permettait d'échanger quelques réflexions. Cette escorte ne lui épargnait pas cependant les questions d'Alexis, auxquelles elle répondait avec une secrète irritation qui n'échappait pas au jeune homme et amenait une lueur de colère dans son regard.

Fréquemment, Claudine croisait un des membres de la famille de Mollens. La première fois qu'elle rencontra le marquis et sa femme, ceux-ci eurent un mouvement de surprise difficilement réprimé, et, après avoir dépassé la jeune fille, Mme de Mollens dit à son mari :

— Comme cette jeune personne ressemble à Micheline telle que nous l'avons connue jeune fille !

— Oui, cela m'a frappé aussi, dit le marquis. Tu ne sais pas qui elle est ?

— Pas du tout.

Souvent, c'était le lieutenant, presque toujours à cheval, que Claudine croisait ainsi. Si quelqu'un eût regardé alors la jeune fille, on aurait vu son regard mélancolique et un peu las s'éclairer soudain. Et, ces jours-là, elle supportait avec une plus grande indifférence les bourrasques encore assez fréquentes du caractère d'Alexis.

Mais, avec le commencement d'août, la villa voisine se ferma, les de Mollens partirent pour les bains de mer, Claudine ne les revit qu'à l'époque de la rentrée de l'école Saint-Jean.

Cette année-là, le mois d'octobre fut affreux. Claudine, facilement enrhumée, sortit fort peu. L'ennui la rongeait, et aussi une secrète souffrance dont elle ne s'expliquait pas la nature.

— Qu'est-ce que tu as, voyons ? disait Alexis avec impatience. Nous te soignons bien, pourtant ; tu devrais prendre une autre mine.

— Mais, je n'ai rien, je suis très faible, voilà tout, répondait-elle avec sa tranquille froideur accoutumée.

Vers la fin du mois, il y eut quelques belles journées ensoleillées, et Claudine en profita pour sortir de nouveau avec Léonie, la femme de chambre.

Un dimanche, en revenant du parc, elle entra à l'église Notre-Dame, qui se trouvait sur son passage. Elle l'avait visitée une fois en compagnie de Zélie, et, malgré les sarcasmes de celle-ci, elle avait éprouvé une émotion indéfinissable devant les signes d'un culte qui lui était inconnu et qu'elle avait maintes fois entendu insulter.

Aujourd'hui, l'église était pleine, et le prédicateur terminait son sermon. Sa voix nette scandant les mots parvint aux oreilles de Claudine : « Le vrai bonheur est dans le sacrifice, dans la lutte pour le devoir, dans la résignation sereine et forte — car le sacrifice, la lutte, la résignation nous conduisent à l'éternel bonheur, à l'allégresse sans fin que nous trouverons dans la contemplation de notre Dieu. Ainsi soit-il. »

Il y eut un brouhaha de chaises, l'orgue

résonna sous les voûtes. Le regard de Claudine se dirigea vers l'autel illuminé. L'officiant et les enfants de chœur apparurent bientôt, le prêtre monta les degrés, ouvrit le tabernacle, tandis que résonnait l'*O Salutaris*. Saisie d'une mystérieuse émotion, Claudine regardait. Dans le rutilant soleil de l'ostensoir apparaissait l'Hostie divine, et les fidèles courbaient la tête, tandis que le prêtre, par trois fois, faisait monter vers son Dieu l'encens adorateur.

Léonie se pencha vers Claudine :

— Mademoiselle, Monsieur ne sera pas content.

La jeune fille eut un geste d'impatience. Cependant, elle s'éloigna, à regret, les yeux encore pleins de ce qu'elle venait de contempler.

— Eh bien ! où as-tu été, Claudine ? demanda Alexis lorsqu'elle vint reprendre sa place près de lui.

— Nous nous sommes promenées un peu dans le parc, aux alentours du canal. Le temps était très beau aujourd'hui. Nous sommes revenues tout doucement par la rue de la Paroisse.

— Pourquoi par là ? Tu aurais eu un chemin plus court en passant par le boulevard de la Reine. Avais-tu quelque chose à faire dans la rue de la Paroisse ?

Agacée par son ton inquisitorial, par l'expression soupçonneuse de sa physionomie, elle répondit sèchement :

— Rien de très particulier. Je suis simplement entrée en passant à l'église.

Alexis sursauta sur sa chaise longue.

— A l'église !... Pourquoi faire ?

— Pour voir... C'est très beau, le culte catholique.

Alexis lui saisit le poignet.

— Je te défends, Claudine ! Je te défends de mettre le pied dans une église !

Claudine ne put réprimer un vif mouvement de colère.

— On m'a répété maintes fois que ma raison devait suffire à me guider, que je n'avais à subir aucune influence philosophique ou religieuse. Que crains-tu donc pour moi ? Et pourquoi prétends-tu entraver ainsi ma liberté morale ? Si, par hasard, un jour, je venais à croire aux enseignements d'une religion quelconque, de quel droit pourrais-tu m'empêcher ?

— Tais-toi ! dit-il avec une sourde fureur. Tu n'as à croire autre chose que ce que je t'enseigne. Et ne t'avise plus de franchir le seuil d'un de ces refuges de la superstition. Ta faible cervelle féminine pourrait recevoir là de dangereuses atteintes.

Elle murmura avec une sorte d'âpreté douloureuse

— Il doit pourtant être doux, à ceux qui souffrent, de penser qu'il y a le bonheur au-delà de la tombe !

La physionomie irritée d'Alexis se détendit soudain, une tristesse intense envahit ses prunelles sombres, et il murmura comme en se parlant à lui-même :

— Oui, la pensée du néant est parfois bien dure. On se prend à regretter...

Il s'interrompit avec une sorte de rire amer, et, se soulevant à demi sur ses coussins, il s'écria :

— C'est pour cela, Claudine, que nous devons tout faire pour être heureux tant que nous avons la vie ! Nous possédons tous le droit au bonheur.

— Ça, c'est juste, mon garçon !

Prosper Louviers entrait dans le salon, en compagnie d'un homme de haute taille, au ventre bedonnant, au crâne chauve, à l'air important. C'était son ex-beau-frère, Jules Morand. Zélie l'avait toujours revu sans le moindre embarras, et elle avait même des relations avec la seconde Mme Morand, s'amusant fort, confiait-elle à ses amies, de voir ce gros Jules filer doux devant cette petite femme sèche et raide qui tenait ferme les cordons de la bourse.

— Oui, tu dis très juste, mon petit, continua Morand, tout en tendant au jeune homme sa large main. Le droit au bonheur, sapristi ! c'est le premier de tous ! Hein ! c'est ton avis, Louviers ?

Une contraction passa sur le visage de Prosper, son regard assombri enveloppa le jeune infirme.

— Mais certainement ! dit-il d'un ton contraint. Là seulement est la raison de notre existence.

Le gros Morand se laissa tomber sur un fauteuil tout en disant :

— Bonjour, mademoiselle Claudine. Ça va mieux : je vois cela à votre mine. Vous aussi, vous voulez le droit au bonheur ? C'est le titre d'une jolie petite pièce que j'ai vue jouer l'autre jour. La connais-tu, Louviers ? Non ? Tu m'étonnes ! Il s'agit d'une jeune fille pauvre qui épouse un infirme très riche. Quelque temps, elle lui sert de garde-malade, mais il est difficile de caractère, et, bien qu'elle se sente réellement aimée malgré tout, elle se lasse bientôt, elle réclame le divorce, elle veut le droit au bonheur.

Alexis, livide, se souleva un peu sur sa chaise longue.

— Et lui, n'y avait-il pas droit comme elle ? dit-il d'une voix étouffée.

— Ah ! dame, ça, mon garçon ! Il faut toujours bien qu'il y ait des sacrifiés, c'est sûr !

— Pourquoi ? Pourquoi ceux-là ? dit-il, un éclair de révolte dans ses yeux noirs.

Morand eut un gros rire.

— Tu m'en demandes trop ! C'est comme ça, voilà ! A chacun de nous de chercher sa grosse part de jouissances, et tant pis pour les autres !

— Je n'admets pas cela ! dit la voix un peu rauque d'Alexis.

— Tu n'admets pas quoi ?

— Ce divorce. Puisqu'elle avait accepté de devenir sa femme, elle devait remplir son devoir envers lui, au lieu de déserter lâchement !

Morand le regarda d'un air stupéfié.

— Qu'est-ce que tu racontes là ? On croirait entendre un curé, ma parole ! Tu voudrais alors

— au nom de qui, de quoi, je me le demande ! — condamner cette pauvre petite au malheur, au sacrifice de toute sa vie ? Mais c'est précisément pour faire tomber, plus facilement qu'on ne l'a pu jusqu'à présent, ces chaînes intolérables, que nous luttons chaque jour ! Alors, comme ça, tu n'es pas partisan du divorce ? Je t'ai cependant entendu vanter un ouvrage qui en est la glorification.

— Oui, c'est vrai ! mais, dans le cas que vous présentez, je le trouve odieux ! dit Alexis avec une sourde violence.

— Odieux... odieux... je ne te comprends pas ! Du moment où le principe est admis, chacun l'applique selon son idée, selon son aspiration. Une fois la voie ouverte, dame, on y va largement ! C'est si facile !

— Trop facile ! dit la voix brève d'Alexis. En y réfléchissant, je trouve que les adversaires du divorce n'ont pas tort en le qualifiant de plaie sociale.

— Ah ! ça, tournerais-tu à l'ennemi ? s'exclama Morand d'un ton mi-stupéfié, mi-irrité. En voilà, des idées d'autrefois ! Un si grand progrès pourtant, ce divorce ! J'imagine que la jeune femme en question, qui eût été autrefois rivée à sa chaîne, devait trouver charmant de pouvoir en être délivrée ainsi.

— Sa chaîne ! murmura Alexis d'un ton étouffé.

Son regard, où s'exprimait une sorte d'angoisse, se tourna vers Claudine. La jeune fille, comme Prosper, avait écouté, sans y prendre part, la petite discussion entre Morand et Alexis. Tandis que le député regardait son fils avec une sombre tristesse, elle, les cils un peu baissés sur ses prunelles bleues, semblait réfléchir, les mains croisées sur le sac à ouvrage qu'elle avait posé sur ses genoux en s'asseyant près de l'infirme.

— Et toi, qu'est-ce que tu en dis ? demanda Alexis de la même voix légèrement étranglée.

Les cils blonds se levèrent, les grands yeux apparurent, graves et doux, avec, tout au fond des prunelles, un rayonnement qui n'y existait pas quelque temps auparavant.

— Non, ne me réponds pas ! dit brusquement Alexis en étendant la main. Pas maintenant. Je te demanderai cela plus tard.

Morand frappa sur l'épaule du jeune homme.

— Toujours capricieux, hein ! petit ? Heureusement, Claudine est de bonne composition. Elle ferait une excellente garde-malade.

Alexis devint près pâle, ses doigts serrèrent avec violence l'appui de la chaise longue.

— Elle n'est pas destinée à cela. Elle doit être heureuse, elle le sera ! dit-il avec une sorte de violence.

Jules Morand le regarda avec surprise. Mais Prosper, qui réprimait avec peine son impatience irritée, lui adressa une question, de façon à détourner l'entretien.

Alexis demeura silencieux, son regard dur et sombre fixé en face de lui, sur l'ouverture de la fenêtre qui laissait voir la terrasse et la profondeur fleurie du jardin. Il dit tout à coup, d'une voix qui n'avait plus les intonations impératives accoutumées :

— Tu serais gentille, Claudine, d'aller dans ma chambre me chercher le livre que j'ai oublié sur la table.

Elle le regarda avec un peu de surprise, cette forme aimable n'étant pas dans les habitudes d'Alexis. Se levant aussitôt, elle s'éloigna et gagna le premier étage.

Après avoir pris le livre chez Alexis, elle entra un instant dans sa chambre pour chercher un objet oublié. Par la fenêtre ouverte, un bruit de jeunes voix parvenait jusqu'à elle.

Elle s'approcha et jeta un coup d'œil vers le jardin voisin.

Trois ou quatre garçonnets couraient en se poursuivant joyeusement. Sur le perron, le lieutenant de Mollens, en civil, fumait une cigarette tout en écoutant d'un air intéressé sa sœur aînée qui lisait un journal.

Un des petits garçons s'arrêta tout à coup en s'écriant :

— Tiens, voilà Louis !... Bonjour, Louis !

Il s'adressait à un grand jeune homme blond, vêtu en ouvrier endimanché, qui venait d'ouvrir la petite porte de service.

— Bonjour, monsieur Robert !... Bonjour, mademoiselle, monsieur Henry ! dit-il en se découvrant.

— Bonjour, Louis, dit cordialement l'officier, tandis que sa sœur répondait par un aimable signe de tête au salut de l'arrivant. Viens-tu voir mon père ? Il est justement absent aujourd'hui.

— Ça ne fait rien, monsieur Henry, je vais vous expliquer la chose ; vous direz à M. le marquis pourquoi je venais.

Tout en parlant, le jeune ouvrier s'avançait, gravissait les degrés du perron et serrait la main que lui tendait le lieutenant.

Claudine s'éloigna de la fenêtre, elle demeura un instant au milieu de la chambre, le regard perdu dans un mystérieux lointain.

« Et pourquoi donc ne serais-je pas heureuse, moi aussi ? murmura-t-elle en redressant la tête. Le droit au bonheur, je l'ai comme les autres... Je comprends qu'à ceux qui croient à l'au-delà, ce prêtre puisse prêcher le sacrifice et la résignation, mais moi qui sais que rien ne subsiste après nous, moi dont les seules espérances sont dans la vie présente, je repousse la souffrance, je la hais... je veux... je veux le bonheur ! »

CHAPITRE XIII

Le salon vaste et élégant où se tenaient d'habitude Prosper Louviers et les siens était rempli, ce matin-là, des éclats d'une voix forte et d'un rire vulgaire. Léon Morand, qui habitait généralement Paris où il était censé faire son droit, se trouvait depuis la veille à la villa Lætitia, dans l'intention de « taper » le coffre-fort maternel, comme il l'avait confié à son cousin dans un moment d'expansion.

— Je suis à sec, mon pauvre vieux, et pas moyen de rien obtenir de papa. Son dragon veille trop bien sur la bourse ! Heureusement, maman est plus facile à convaincre.

Il ressemblait à son père, il était gros, blond, de teint coloré comme lui, mais de plus petite taille. Dans ses paroles, dans sa tenue, il affectait le genre vulgaire, et c'était, d'ailleurs, celui qui convenait à sa mentalité de niveau fort bas, à sa complète absence de sens moral.

Alexis avait à son égard une profonde antipathie qu'il ne parvenait pas toujours à dissimuler, et les escarmouches entre les deux cousins étaient assez fréquentes.

Mais aujourd'hui, le jeune infirme ne semblait pas d'humeur batailleuse. Tandis que sa tante et son père écoutaient le bavardage de Léon, entrecoupé de gros éclats de rire, lui demeurait inactif, la physionomie soucieuse.

— Voilà la demie de onze heures ! dit-il tout à coup. Je ne comprends pas que Claudine ne soit pas rentrée.

— Bah ! ne crains rien. Léonie ne la laissera pas enlever ! dit ironiquement Zélie.

— Qui ça, Léonie ? demanda Léon.

— La femme de chambre de Claudine, répondit Prosper.

Léon ouvrit de grands yeux.

— Peste ! rien que ça de luxe !... Vous soignez bien la petite ! C'est un objet rare, paraît-il ?

Déjà, une riposte mordante arrivait sur les lèvres d'Alexis. Mais la porte du salon s'ouvrit tout à coup, Claudine apparut, le teint un peu empourpré, sa main droite soutenant son bras gauche.

— Qu'as-tu ? s'écria Alexis.

— Que t'est-il arrivé ? ajouta Prosper Louviers en se levant.

— Peu de chose, mais j'aurais pu être assommée...

— Assommée ! s'exclama Zélie.

— Tu as été te promener dans les bois, alors ? dit Léon. Raconte un peu.

— Laisse-là d'abord s'asseoir, elle est toute tremblante, interrompit Alexis. Ma tante, il faudrait peut-être lui faire boire quelque chose.

— Oh ! non, non ! interrompit vivement

Claudine. Je n'ai pas eu très peur, c'est seulement un peu d'émotion rétrospective. Et puis mon bras me fait souffrir.

— Qu'est-ce qu'il a, ton bras ? dit Prosper Louviers.

— Il a reçu un coup de bâton. Voyez, il est inerte...

— Qu'est-ce qui t'a fait ça, voyons ? interrogea Zélie.

— Nous revenions tranquillement, Léonie et moi, dans la rue de Béthune. Devant nous marchait un homme à l'allure étrange — ivrogne ou fou, je ne sais — qui tenait un gourdin à la main. Comme nous passions devant l'école Saint-Jean, les élèves en sortaient. L'un d'eux, peut-être, excita par un signe ou par un mot la colère de cet homme. Toujours est-il que celui-ci s'élança, brandissant son bâton et essayant d'atteindre les enfants qui fuyaient, épouvantés. L'un d'eux, un garçonnet d'une dizaine d'années, arrivait au-devant de nous. L'homme se précipita sur lui et son gourdin allait retomber sur sa tête. Je repoussai l'enfant et ce fut mon bras qui reçut le coup.

— Peste ! quelle héroïne ! s'exclama Léon d'un ton moqueur.

— Tais-toi ! dit brusquement Alexis. Et qu'arriva-t-il ensuite ?

— Deux hommes accoururent, se jetèrent sur cet individu et réussirent à le réduire à l'impuissance. Le prêtre qui surveillait la sortie des enfants vint me remercier, le garçon se joignit à lui et voulut absolument savoir mon petit nom.

Quand il apprit que je demeurais ici, il s'écria : « Oh ! mais, c'est tout près de chez nous ! Nous habitons la villa Sainte-Clotilde ! »

— Ah ! c'était le petit de Mollens ! dit Zélie.

Une lueur de colère avait passé dans les yeux de Prosper.

— Oui, c'était lui. Il voulut nous accompagner pour revenir. C'est un enfant charmant, très vif, très expansif...

Claudine s'arrêta quelques secondes. Une émotion profonde passait dans ses yeux bleus. Seul, Alexis l'aperçut...

— Et puis ? dit-il en posant son regard scrutateur sur le visage de la jeune fille.

— Comme nous arrivions sur l'avenue, apparaissait le lieutenant de Mollens à cheval. Son frère s'élança vers lui, il lui cria ce qui venait d'arriver. Le lieutenant mit pied à terre, il vint vers moi et me remercia beaucoup.

— Tiens, tiens, tiens, ça commence à devenir romanesque ! gouailla Léon.

— Qu'est-ce que tu trouves de romanesque là-dedans ? dit sèchement Prosper. Ce jeune homme a simplement fait acte de politesse envers Claudine qui venait de préserver son frère.

— Pourquoi est-elle comme une pivoine, alors ? riposta Léon en désignant Claudine.

— Parce qu'elle n'est qu'une petite sotte, qui connaît fort peu le monde, et prend pour de l'argent comptant les premières fadaises qu'on s'avise de lui débiter. Alors, tu as été escortée jusqu'ici par le lieutenant et son frère ?

Claudine se leva vivement en redressant la tête d'un mouvement plein de fierté.

— M. de Mollens est un homme trop bien élevé, trop au courant de toutes les convenances pour avoir seulement eu cette idée ! dit-elle en essayant de parler avec calme. Après avoir reçu ses remerciements, je me suis éloignée avec Léonie, et il a poussé la discrétion jusqu'à demeurer fort en arrière avec son frère. Soyez sans crainte, vous n'avez rien à lui apprendre en fait de savoir-vivre ! ajouta-t-elle, emportée par la sourde irritation qui montait en elle.

— Insolente ! dit Prosper avec colère. Ah ! si, je lui apprendrai quelque chose !... Quand nous serons les maîtres, il verra comment nous traiterons les galonnés de son espèce ! Il a une façon de me regarder quand par hasard il me rencontre, cet animal-là ! Et son père est tout pareil. Mais nous verrons bien qui rira le dernier !

La haine vibrait dans son accent, elle s'échappait de son regard irrité.

— Bien dit, oncle Prosper ! s'exclama Léon. Tomber sur les aristos, sur les curés, sur les traîneurs de sabre ! Tout ça, c'est bon à pendre, sans jugement, encore ! Ah ! c'est que nous sommes des antimilitaristes, nous autres ! Ce n'est pas comme Alexis, qui a encore au fond de sa caboche quelques vieilles idées stupides, rapport à la patrie.

— Qu'en sais-tu ?

Alexis était demeuré jusque-là silencieux, son regard brillant d'une colère contenue mais farouche, ne quittant pas la physionomie de

Claudine. Il venait de se détourner pour adresser cette brusque question à son cousin.

— Dame, mon vieux, c'est toi qui nous l'as dit un jour ! Tu nous as même raconté que si tu étais bien portant, tu serais un des premiers à courir à la défense de la France menacée, et tu t'es presque fâché après ton père qui soutenait ses théories.

— J'ai pu avoir ces idées autrefois, mais, aujourd'hui, je me range aux vôtres. Je hais tout ce qui se rattache, de près ou de loin, au militarisme, j'appelle de tous mes vœux le jour où nous aurons anéanti cette plaie qui ronge notre société ! dit Alexis avec une sourde passion.

Un très vif contentement s'exprima sur la physionomie de Prosper.

— A la bonne heure, Alexis ! Cette divergence dans nos idées me peinait, je l'avoue.

— Plus de nuages ! Parfait ! s'exclama Léon. Tout le monde d'accord !... A moins que Claudine n'ait sur le militarisme des opinions particulières ?

La jeune fille était demeurée debout, un peu pâle maintenant, une pénible émotion dans le regard. A la question railleuse de Léon, elle posa sur le jeune homme ce regard devenu soudain ferme et étincelant.

— Je ne connais pas le militarisme, mais seulement le patriotisme ! dit-elle nettement. Si peu que l'on m'en ait parlé, il a fait vibrer mon cœur. Et je me demande, quand vous aurez enlevé à la société ce dernier idéal, comment la vie sera possible pour les êtres qui veulent autre chose que les jouissances matérielles ou les passagères satisfactions de l'esprit.

— Oh ! là ! là ! cette réactionnaire ! clama Léon en se redressant sur son fauteuil avec un éclat de rire.

— De semblables paroles, chez moi ! dit Prosper d'une voix un peu étouffée par la colère. Je crois que ton aventure t'a tourné la cervelle. Tu vas t'en aller calmer ton exaltation dans ta chambre, et tu pourras y rester toute la journée. Ce repos te sera salutaire de toute façon.

Elle sortit, la tête haute, le cœur bondissant d'indignation. Une fois dans sa chambre, elle se laissa tomber sur un fauteuil, et, le front appuyé sur sa main, elle se mit à songer douloureusement.

Oh ! comme ils s'acharnaient tous à la faire souffrir, à la blesser profondément ! Pour eux, ces socialistes, ces soi-disant amis du peuple, elle, l'enfant trouvée, la pauvre créature dépendante, n'était qu'un paria ! Quelles âmes viles, sans idéal, sans honneur ! Voilà qu'Alexis lui-même reniait l'idée de patrie encore un peu existante en lui jusqu'ici. Et il n'avait pas dit un mot pour défendre Claudine contre l'injustice, la dureté de son père.

Qu'étaient-ils ceux-là, près de « lui », dont le regard révélait si bien la haute valeur morale, la noblesse d'âme ; près de lui, le gentilhomme qui avait si bien su, avec une délicate et respectueuse courtoisie, lui dire sa reconnaissance du service rendu ! Il lui semblait entendre encore sa voix vibrante, sentir sur elle le regard ému de ses yeux gris si profonds... Et un apaisement se faisait en elle, une douceur mystérieuse envahissait son âme.

On frappa à la porte, elle vit entrer Léonie.

— M. Alexis fait prévenir Mademoiselle que le docteur viendra tout à l'heure pour voir son bras.

— Le docteur ? Mais je n'en ai pas besoin ! Dites à M. Alexis que c'est inutile.

— Pierre est déjà parti pour le prévenir, il faudra bien que Mademoiselle le reçoive maintenant.

Claudine se renfonça dans son fauteuil. Une rougeur de colère couvrait ses joues, ses lèvres avaient un plissement de mépris.

« Hypocrite ! murmura-t-elle. Après m'avoir fait souffrir, il feint de s'intéresser à moi. J'aime mieux la façon d'agir de son père ; au moins, quand il me rudoie, il ne vient pas après chercher à me faire croire à sa sollicitude. »

CHAPITRE XIV

A cette même heure, Mme de Mollens, la première émotion causée par le récit de Robert étant passée, disait à son mari :

— Il va falloir, maintenant, aller chez ce Louviers, pour remercier cette jeune fille !

— C'est en effet indispensable, ma pauvre amie ! Certes, je remercie Dieu d'avoir permis que cette étrangère se trouvât là pour éviter à notre Robert un coup peut-être mortel, mais j'aurais préféré que ce fût une autre que quelqu'un de chez ce triste individu.

— Elle est très jolie, papa, et elle a l'air très doux, très bon, dit Robert.

— C'est vrai, appuya Henry, et j'ajouterai même qu'elle paraît fort distinguée. Sa physionomie m'a rappelé quelqu'un.

— Elle ressemble à Louis Mariey, déclara Robert.

— Tiens, c'est vrai, petit, c'est cela même !... Oui, elle lui ressemble vraiment beaucoup.

— Je la demanderai seulement. Si je puis ne voir qu'elle, l'ennui sera moindre. Mais je crains que la sœur de M. Louviers n'arrive, ou lui-même, peut-être.

— La dame en question nous fait une tête quand nous la rencontrons ! dit en riant Thérèse, l'aînée des jeunes filles.

— Et à moi donc ! ajouta Henry avec un sourire moqueur. Cela se comprend, on ne doit pas aimer les militaires, dans la famille de Prosper Louviers. Allons, ma pauvre maman, vous allez avoir cet après-midi une fameuse petite corvée ! Emmenez-vous Robert ?

— Oui, ce sera mieux. C'est justement jour de sortie, aujourd'hui.

Le domestique ouvrit la porte et annonça le déjeuner. Celui-ci terminé, la marquise monta s'habiller, et, vers deux heures, alla sonner à la villa Lætitia.

On l'introduisit dans un luxueux salon moderne, où arriva presque aussitôt Zélie, en riche toilette d'intérieur. Quand le domestique était venu la prévenir que Mme de Mollens demandait Mlle Claudine, elle s'était écriée :

— Ah ! ah ! vous mettez les pouces, ma belle dame ! Vous franchissez tout de même le seuil de Prosper Louviers ! Mais je vais vous montrer que vous n'êtes pas la seule à faire la fière !

Cependant, devant la correction et la réserve sans morgue de la visiteuse, Zélie, qui n'était point sotte, eut le bon esprit de prendre une attitude convenable. Elle répondit aux questions de Mme de Mollens sur les conséquences qu'avait eues pour la jeune fille le coup dont elle avait préservé Robert, et, d'elle-même, offrit de faire descendre Claudine.

— Non, non, je ne veux pas la fatiguer ! protesta la marquise. Vous lui direz seulement que je la remercie de toute mon âme.

— Mais le docteur n'a pas défendu qu'elle descende.

Cinq minutes plus tard, Claudine, prévenue par Léonie, entrait dans le salon. Elle était toute rose d'émotion, et plus jolie que jamais dans sa claire toilette d'intérieur.

La marquise eut un mouvement de stupeur aussitôt réprimé. Elle se leva, les mains tendues, et adressa à la jeune fille un chaleureux remerciement qui empourpra les joues de Claudine, et auquel Robert s'associa avec gentillesse.

En rentrant chez elle dix minutes plus tard, Mme de Mollens s'en alla tout droit vers le cabinet de travail de son mari. Le marquis, assis devant son bureau, causait avec son fils aîné qui se tenait debout près de lui, achevant de mettre ses gants. Ils s'interrompirent à l'entrée de Mme de Mollens, et le marquis dit avec un sourire :

— Eh bien ! la chose s'est bien passée ?

— Très bien. Mais, figure-toi ce que je viens de voir.

— Quoi donc ?

— Micheline ! Micheline jeune fille !

— Que veux-tu dire ?

— Oui, cette jeune personne dont la physionomie nous avait frappés un jour, dans la rue de Béthune, c'était elle.

— La fille de Louviers ?

— Non, pas sa fille, sa pupille seulement.

— Une parente, alors ?

— Je ne sais pas. Je n'ai pas osé questionner davantage la sœur de ce Louviers, qui m'a d'abord reçue.

— Tiens ! Tiens ! murmura le marquis.

Il rencontra le regard de sa femme, et sans doute y lut-il la même idée que celle qui s'emparait de lui, car il continua :

— Il serait intéressant de savoir qui est cette jeune fille si étrangement ressemblante à Mme Mariey et à son fils. Il faudrait trouver un moyen, Madeleine.

— Ce sera facile, je pense. Je vais chercher la meilleure manière de m'y prendre.

Henry regarda ses parents avec une vive surprise.

— Mais, je ne comprends pas ?...

— As-tu donc oublié que le dernier enfant de Mme Mariey, ma filleule, a disparu mystérieusement, et que jamais on n'a pu découvrir aucun indice ?

— C'est vrai, je n'y pensais plus. Et vous auriez l'idée que cette jeune fille ?...

— Qui sait ! murmura M. de Mollens.

— Alors, Louviers ?

— Je te dirai que, sans en avoir jamais parlé à personne autre qu'à ta mère, je l'avais un peu soupçonné lors de l'événement. J'ai fait faire de discrètes recherches, qui n'ont abouti à rien.

— Pourquoi ce soupçon, mon père ?

— Il avait demandé à Mme Mariey de devenir sa femme, et, comme elle repoussait avec horreur celui qu'elle considérait comme le véritable auteur de la mort de son mari, il lui avait déclaré qu'il la haïssait désormais.

— Ah ! je comprends, alors, que vous ayez songé... En effet, il faudra s'informer. N'est-ce pas que cette jeune fille est bien, maman ?

— Tout à fait charmante. Je le répète, c'est Micheline elle-même, avec moins de calme, moins de sérénité dans le regard. Pauvre enfant ! dans quels principes a-t-elle été élevée !

— Pas dans les nôtres, certainement ! dit Henry en se détournant pour prendre son casque déposé sur une table. Mais ses allures, sa physionomie la différencient complètement de cette espèce de poseuse qu'est, paraît-il, la sœur de Louviers. Allons, je me sauve, mon brave Kadji doit ronger furieusement son mors. Tâchez d'avoir vite vos renseignements, chère maman, car si vraiment vous aviez deviné juste, quel bonheur pour cette sainte Mme Mariey, pour Louis et pour Lucien !

Il se pencha, mit un baiser sur le front de sa mère et s'éloigna, suivi du regard par M. de Mollens.

— Notre Henry ! murmura le marquis. Quelle belle nature, si forte et si tendre à la fois ! Et dire que d'un jour à l'autre sa carrière peut être brisée !

— Il l'aime tant, cependant ! Cette existence de garnison, que d'autres trouvent morne et insipide, il a su, lui, la rendre utile et féconde en s'occupant de ses hommes, en s'intéressant à leur vie morale.

— Voilà précisément son grand crime ! Un officier, chrétien militant, qui prend de l'influence sur ses hommes et se fait aimer d'eux ! Je m'attends d'un jour à l'autre à le voir obligé de donner sa démission. Et tout d'abord il faut penser qu'il sera incessamment envoyé dans quelque petite garnison.

— Je le sais ! dit-elle avec un soupir. Heureusement, il sera marié, il aura un doux foyer, et il saura se créer n'importe où d'utiles occupations. Mais nous ne l'aurons plus près de nous, ce sera le grand sacrifice, en attendant que notre cher abbé s'éloigne aussi, pour remplir dans quelque petite paroisse ce ministère pastoral qui est le rêve de son cœur d'apôtre. Quels fils Dieu nous a donnés, René ! et combien, malgré nos inquiétudes et nos épreuves, nous sommes heureux en comparaison de tant d'autres ; de ces malheureux d'à côté, par exemple, qui vivent sans idéal, sans espérance !

CHAPITRE XV

Claudine souffrit fortement pendant plusieurs jours de son bras contusionné, et une petite fièvre tenace l'obligea à garder le lit. Elle s'en réjouit, car elle n'avait aucune hâte de se retrouver avec les Louviers. Un profond ressentiment lui demeurait contre eux, et elle le faisait s'infiltrer en elle sans essayer de le combattre. Jamais elle n'avait eu de sympathie pour Prosper et Zélie, et, malgré la directrice du lycée, qui lui chantait les louanges de son bienfaiteur, elle n'était parvenue à ressentir à son égard qu'une reconnaissance de commande. Alexis seul avait eu son affection. Mais c'éttait fini, il avait tout fait pour qu'elle en arrivât à le détester.

Et, dans la solitude où elle demeurait toute la journée, Claudine laissait errer son esprit entre la tristesse de son sort présent et le rêve — le rêve imprécis et radieux qui envahissait lentement son jeune cœur.

Le quatrième jour, il lui fallut descendre enfin. Elle entra, un peu avant l'heure du déjeuner, dans le petit salon où se trouvait Alexis. Le jeune homme lisait — ou plutôt était censé lire, car son regard sombre, passant par-dessus les pages de la revue, se fixait vaguement dans l'espace.

A l'entrée de Claudine, il tressaillit un peu et dit en essayant de prendre un ton gai :

— Voilà enfin cette blessée ! Le temps m'a paru bien long, Claudine !

Elle s'avança et lui tendit la main en demandant froidement :

— Comment vas-tu, Alexis ?

— Pas plus mal. Mais toi ? Ne t'es-tu pas trop ennuyée, toute seule là-haut ?

— Non, je me suis reposée, je me sens mieux maintenant, dit-elle avec la même froideur, en attirant une chaise pour s'asseoir près de lui.

— Alors, nous allons pouvoir reprendre nos conversations, nos études ? Je m'ennuyais sans toi, je n'avais plus de goût à rien.

Elle le regarda, surprise de l'émotion subite qui passait dans sa voix brève, et s'aperçut alors de sa pâleur, de sa maigreur plus grandes.

Il murmura d'un ton un peu étouffé :

— Je ne peux pas vivre sans toi, Claudine !

Un frisson d'effroi la parcourut des pieds à la tête. Mais, dominant l'émoi instinctif qui la saisissait, elle riposta avec une sorte d'ironie :

— Veux-tu me faire croire que je te suis indispensable ?

— Tu serais sans doute trop heureuse si je te répondais affirmativement ?

— Heureuse !

Dans son regard, dans sa voix, dans le mouvement de sa tête, s'exprimait la protestation douloureuse qui s'élevait en elle.

Alexis devint plus pâle encore, ses traits eurent une crispation de souffrance. Mais les paroles qui entrouvraient déjà ses lèvres furent arrêtées par l'entrée de son père et de sa tante.

— Es-tu souffrant, Alexis ? s'écria Prosper à la vue du visage bouleversé de son fils.

Il répondit négativement. Mais pendant le repas il toucha à peine aux mets qui lui furent présentés et s'absorba dans un silence farouche, malgré les essais de conversation de son père et de sa tante.

Prosper Louviers montrait envers Claudine une excessive froideur. Evidemment, il ne pardonnait pas les audacieuses paroles de sa pupille s'élevant contre les théories prêchées par lui. Mais peu importait à Claudine, elle se cuirassait maintenant contre toutes ces blessures, contre ces duretés de ceux dont elle dépendait. Son rêve chantait en elle et lui voilait en ce moment la tristesse de son sort. Cependant, une appréhension lui demeurait, pour l'instant où elle allait se retrouver seule avec Alexis. Elle le connaissait assez pour avoir compris qu'il voudrait creuser toute sa pensée. Que lui dirait-elle alors ? Faudrait-il lui révéler que l'existence, par sa faute, avait été rendue infiniment pénible à la pupille de son père, au point qu'elle n'avait plus que le désir de s'éloigner de lui ?

Après le déjeuner, Prosper quitta aussitôt la villa pour prendre le train de Paris. Zélie alla s'habiller dans l'intention de faire des visites. Et

Claudine, après une courte promenade dans le jardin, dut enfin venir s'asseoir près d'Alexis. Le jeune homme, la tête appuyée sur ses coussins, songeait, les yeux fixés sur le ciel d'un blanc grisâtre, chargé de neige, qui apparaissait derrière les vitres de la porte-fenêtre. Et, sans regarder Claudine, il prononça tout à coup d'une voix un peu basse et frémissante la question attendue de la jeune fille :

— Alors, Claudine, tu considérerais comme un malheur de demeurer toujours près de moi ?

Elle leva la tête, et une pitié profonde vint la serrer au cœur devant ce visage creusé, tourmenté par la souffrance morale, devant cet être cloué, en pleine jeunesse, sur un lit d'infirme. Non, elle ne pouvait pas lui dire. Mais quelles paroles trouver pour lui répondre sans le blesser et sans lui faire croire cependant à des sentiments qui n'existaient pas en elle ?

Il tourna vers elle son regard rempli d'une inexprimable angoisse, il la vit silencieuse, hésitante. Sa main saisit brusquement celle de la jeune fille.

— On croirait que tu n'oses pas répondre ? Est-ce oui ? Est-ce non ? Parle franchement, je ne te demande que la vérité.

Il s'exprimait avec une violence contenue, ses doigts crispés s'enfonçaient dans le frêle poignet de Claudine. Et la pitié s'enfuit, Claudine ne vit devant elle que l'être impitoyable qui n'avait jamais su que la tyranniser.

Elle se leva brusquement, la tête haute, le regard brillant.

— Tu aurais pu t'abstenir de me poser cette question ! dit-elle d'une voix vibrante. Tu n'avais qu'à réfléchir à ce que tu m'as fait souffrir depuis deux ans ; tu n'avais qu'à songer à ta dureté, à tes injustices envers une orpheline sans défense. Comment veux-tu que je n'aie pas l'ardent désir d'échapper à l'esclavage qui m'est imposé dans cette maison ? Comment ne comprends-tu pas que vos bienfaits — vos bienfaits, quelle ironie ! — me sont une charge intolérable, et que le plus beau jour de mon existence sera celui où je quitterai cette demeure ?

Toute l'amertume amassée en son âme s'échappait irrésistiblement comme un torrent longtemps endigué qui rompt enfin ses entraves. Et Alexis l'écoutait, livide, les traits crispés...

— Cela veut dire que tu me hais ? fit-il d'une voix rauque et voilée, en laissant aller le poignet de Claudine.

Elle ne répondit pas et se mit à considérer les meurtrissures laissées par les doigts nerveux d'Alexis.

Lui aussi les regardait ; une intraduisible expression de douleur et de colère passa dans ses yeux noirs. Il laissa retomber sa tête sur le dossier de la chaise longue en disant d'une voix étrangement altérée :

— Tu peux remonter chez toi, je connais désormais ce qu'il m'importait de savoir. Ne crains rien, je n'aurai plus besoin de toi, maintenant.

Elle se détourna pour s'éloigner. Mais un regret subit la mordit au cœur. N'avait-elle pas été trop loin dans sa franchise ? Il était un infirme, il souffrait, il pouvait avoir une excuse.

Elle tourna la tête vers lui en disant d'un ton adouci :

— Je serai toujours à ta disposition, Alexis. Malgré tout ce que j'ai pu souffrir, je n'oublie pas que tu as été bon pour moi, autrefois.

— Je te dispense de cette reconnaissance, dit-il d'un ton glacé. Je te le répète, tu n'auras plus à t'occuper de moi, désormais.

Elle s'éloigna, le cœur serré, sans voir le regard de désespoir immense qui la suivait.

Cette scène avait ramené la petite fièvre dont Claudine n'était débarrassée que depuis la veille, et la jeune fille dut se coucher vers quatre heures. Un cercle douloureux entourait son front, elle grelottait sous les couvertures, malgré la boule d'eau chaude apportée par Léonie. Mais elle refusa absolument l'offre que lui fit la femme de chambre d'appeler le médecin. Elle voulait de moins en moins devoir quelque chose aux Louviers, et, dès qu'elle aurait repris un peu de forces, elle déclarerait à Prosper qu'elle voulait travailler pour se suffire à elle-même. Il ne pouvait lui refuser cette permission qui le libérerait de sa charge, et si, comme il était probable, il refusait de lui chercher une situation, elle aurait la ressource de s'adresser à Mme de Mollens, qui semblait si bonne, qui accepterait certainement d'aider une orpheline dans la détresse.

Vers le soir, la fièvre se calma un peu, Claudine s'endormit. Elle s'éveilla en sursaut. Des bruits de pas, des éclats de voix résonnaient dans le corridor, des portes s'ouvraient et se fermaient.

Elle regarda sa montre, il était neuf heures.

« Y a-t-il quelqu'un de malade ? » songea-t-elle.

Elle prêta l'oreille. La voix de Prosper Louviers s'élevait, rauque et haletante, donnant des ordres ; celle de Zélie jetait des exclamations...

Claudine se leva, elle s'enveloppa d'une robe de chambre et ouvrit la porte. A l'autre extrémité du corridor, les domestiques se tenaient groupés près de la chambre d'Alexis. Zélie était là aussi, arrivant sans doute de Paris, car elle était encore revêtue de son costume de sortie. Elle aperçut Claudine et s'avança vivement vers elle.

— Mais qu'y a-t-il ? s'écria la jeune fille, saisie devant son visage décomposé et le tremblement qui agitait tout son corps.

— Alexis... il a essayé de se tuer... Une blessure affreuse...

— Il a voulu se tuer ! Oh ! c'est épouvantable ! balbutia Claudine avec un geste d'effroi.

— Oui. Quand Pierre l'a quitté après l'avoir aidé à se coucher, il lui a demandé sa boîte de rasoirs, qui est habituellement dans le cabinet de toilette. Pierre la lui a donnée sans réfléchir, mais, à peine sorti de la chambre, cette idée lui est venue : « Tiens, qu'est-ce que Monsieur peut bien faire de ses rasoirs à cette heure !... » Il avait aussi remarqué l'air plus sombre que jamais de son maître, un air de quelqu'un qui s'apprête à faire un mauvais coup, a-t-il dit. Rencontrant Prosper dans l'escalier, il lui raconta cela. En deux bonds, Prosper était chez son fils. Il était déjà trop tard, il avait au cou une large blessure. Il se débat, il crie qu'il veut mourir, qu'il défend qu'on le soigne. Prosper et Pierre ont peine à le maintenir. Moi, je ne peux pas rester. Ce sang... non, je ne puis voir cela !

— A-t-on prévenu le médecin ? demanda la voix tremblante de Claudine.

— Oui, il est venu. Heureusement, il n'habite pas loin. Bon, voilà celle-là qui se pâme, maintenant ! Léonie ! Léonie !

Elle retint Claudine qui défaillait, et, avec l'aide de la femme de chambre, la porta sur son lit. La chaleur ranima bientôt la jeune fille, mais la fièvre était revenue, et un peu de délire se manifesta bientôt. Claudine voyait devant elle Alexis, la gorge ensanglantée, le regard étincelant de fureur ; il étendait la main vers elle en disant :

— C'est toi qui me tues !

Et elle murmurait avec des gestes pleins d'effroi :

— Non, non ! Tu sais bien que non, Alexis ! Oh ! va-t'en, laisse-moi ! Tu me fais peur !... Il va venir me délivrer... il est si bon, lui !

CHAPITRE XVI

Toute la matinée du lendemain, Claudine demeura dans une sorte de torpeur. Après cette fièvre qui l'avait tenue éveillée toute la nuit, elle se sentait brisée, incapable du moindre effort.

Léonie lui apprit que le médecin espérait sauver Alexis. Cette nouvelle lui enleva un peu de l'angoisse qui la serrait au cœur. Toute la nuit elle s'était demandé : « Pourquoi voulait-il se tuer ? Est-ce que, dans les paroles que je lui ai dites hier, quelque chose a pu provoquer chez lui cette idée ? »

Et bien que son affection pour Alexis eût complètement disparu, elle éprouvait une pénible émotion à la pensée qu'elle avait pu le faire souffrir. Mais en elle il n'y avait aucun sentiment de réprobation pour l'acte que le jeune homme avait essayé d'accomplir. Le droit à la mort volontaire faisait partie des enseignements qui lui avaient été donnés, et Claudine ne songea pas un instant à se dire qu'Alexis avait tenté de déserter lâchement. N'ayant pas d'espérance au-delà de la tombe, comment, l'un et l'autre, eussent-ils compris la résignation dans la souffrance ?

Claudine déjeuna dans son lit, mais vers deux heures elle se leva, et, bien enveloppée dans une chaude robe de chambre, elle alla frapper à la porte de Zélie pour savoir des nouvelles d'Alexis.

— Le docteur vient de revenir, il est très rassurant maintenant. Alexis repose un peu en ce moment.

Claudine rentra chez elle. Elle s'approcha machinalement de la fenêtre et souleva le rideau.

Il avait neigé toute la nuit, tout était blanc devant le regard de Claudine. Un petit frisson la secoua ; la seule vue de cette neige la glaçait.

Elle fit un mouvement pour s'éloigner de la fenêtre. Mais elle s'immobilisa soudain, un peu de rose monta à ses joues...

La porte de la villa Sainte-Clotilde venait de s'ouvrir, le lieutenant de Mollens parut sur le perron. Il jeta un coup d'œil sur le ciel légèrement éclairci et rentra à l'intérieur. Deux minutes plus tard, une jeune fille apparut, vêtue de drap clair, enveloppée de fourrures. Le lieutenant la suivait ; il s'inclina un peu pour lui présenter son bras sur lequel elle appuya sa main, et tous deux descendirent lentement les degrés. Très pâle maintenant, les yeux dilatés, Claudine les regardait.

Ils venaient précisément vers le mur qui séparait le jardin du marquis de celui de la villa

Lætitia. Claudine, maintenant, voyait distinctement la vaporeuse chevelure blonde de la jeune fille, sa taille svelte et élégante, son joli visage au teint délicat. Un sourire ému entrouvrait ses lèvres, tandis qu'elle écoutait le jeune officier qui lui parlait, un peu penché vers elle, sa physionomie éclairée par un rayonnement de bonheur.

Comme ils arrivaient à l'extrémité de l'allée, ils s'arrêtèrent quelques secondes, et Henry, prenant la petite main posée sur son bras, la porta à ses lèvres.

Claudine, devenue livide, recula jusqu'au milieu de la chambre.

— Fiancé ! il est fiancé ! balbutia-t-elle.

Elle se traîna jusqu'à un fauteuil, elle s'y laissa tomber et enfouit sa tête entre ses mains.

Tout ce qu'elle avait enduré jusqu'ici n'était rien à côté du subit écroulement de ce rêve éclos en elle presque à son insu, et si profondément implanté déjà. Pour elle, cette enfant de dix-huit ans, inexpérimentée encore, très vibrante sous sa tranquille apparence, très éprise d'idéal, et ne pouvant le trouver autour d'elle dans l'atmosphère déprimante de la villa Lætitia, Henry de Mollens représentait la noblesse d'âme, la beauté physique et morale, la bonté chevaleresque ; il réalisait toutes les aspirations secrètes de l'âme de Claudine, ignorante des adorables perfections divines dont l'homme le mieux doué, le plus saint, ne possède qu'un reflet. Silencieusement, son cœur s'était donné à lui. Son souvenir avait été pour elle, depuis quelque temps, une sorte d'armure opposée aux ennuis dont elle était accablée dans cette maison. Elle ne s'était pas demandé quelle serait la suite de ce rêve. Malgré l'éducation moderne qu'elle avait reçue, Claudine était demeurée très jeune d'esprit, et elle se laissait aller à la douceur de ce sentiment, heureuse pour plusieurs jours quand elle avait croisé sur l'avenue le jeune officier à cheval et reçu son respectueux salut.

Maintenant, il lui semblait qu'un brisement venait de se faire en elle. Et soudain elle comprenait quelle folie avait été la sienne. Comment avait-elle pu espérer que lui, le grand seigneur, le catholique militant, le vaillant officier français, abaisserait jamais son regard et arrêterait sa pensée sur l'enfant trouvée, la pupille de Prosper Louviers, le haineux sectaire, l'antipatriote !

« Oui, comment ai-je pu ? Comment ai-je pu ?... » murmurait-elle machinalement.

Ses tempes battaient avec violence, elle souffrait de corps et d'âme, d'âme surtout. Il lui semblait que tout s'écroulait autour d'elle, qu'elle se trouvait au milieu d'un désert épouvantable.

— Mais alors, pourquoi suis-je née ? balbutia-t-elle en se tordant les mains. A quoi sert la vie, si elle ne peut m'apporter le bonheur ? Le droit au bonheur ! A quoi me sert-il, si je ne peux jamais être heureuse ?

Depuis combien de temps était-elle là, anéantie, glacée, le cerveau bourdonnant ? Un coup sec frappé à la porte la fit sursauter. Elle dit d'une voix éteinte :

— Entrez !

Elle vit apparaître Prosper Louviers. Dans l'état de prostration où elle se trouvait, elle ne remarqua pas tout d'abord la physionomie sombre et dure du député.

— J'ai à te parler, Claudine, dit-il d'un ton glacé. Es-tu souffrante ? Tu as une mine !

— Oui, je ne suis pas bien du tout, répondit-elle de la même voix éteinte.

Il prit une chaise et s'assit en face d'elle. A un autre moment, elle eût été frappée de l'altération de son visage, de son air las et vieilli. Mais aujourd'hui elle ne voyait rien.

— Il faut que nous nous expliquions, Claudine, reprit Prosper d'un ton dur. A force d'instances, j'ai pu arracher à Alexis la raison de... de cet acte de désespoir. Voici ses paroles, mais je ne saurais rendre le ton dont elles ont été prononcées : « Claudine me hait, je ne serai toujours qu'un malheureux. La pensée qu'elle deviendrait ma femme, que jamais elle ne me quitterait pouvait seule me donner la force de vivre dans l'état où je suis réduit. Maintenant, je n'ai plus qu'à quitter l'existence, à me reposer dans le néant. » Et il a ajouté : « Vous ne m'avez pas laissé mourir cette fois, mais ce n'est que partie remise. Je recommencerai. »

Claudine l'écoutait, les yeux dilatés par la stupeur.

— Sa femme ! Il pensait que je deviendrais sa femme ? balbutia-t-elle enfin.

— N'as-tu pas compris qu'il te le demandait ?

— Mais non, il était question seulement de continuer le rôle que j'ai rempli jusqu'ici près de lui, le rôle de sœur et de garde-malade.

Prosper eut un impatient mouvement d'épaules.

— Sotte ! Les femmes sont d'ordinaire plus perspicaces pour ces sortes de choses. N'as-tu pas compris que mon pauvre fils a la faiblesse de t'aimer comme tu ne mérites certainement pas de l'être, c'est-à-dire au point de préférer la mort volontaire à l'existence privée de toi ?

— Lui... lui ! murmura Claudine. Lui qui m'a tant fait souffrir !

— Parce qu'il est jaloux de tout et de tous. Allons, ne me regarde pas avec ces yeux étranges, tu as l'air d'une hallucinée ! Il s'agit maintenant de réparer le mal que tu as fait. Alexis a refusé de me répéter tes paroles, mais j'ai compris que tu avais été dure et mauvaise à son égard. Cela peut se réparer, heureusement. Tu vas venir avec moi, tu lui diras que tu regrettes, que tu étais malade, énervée, quand tu lui as répondu ; que tu n'as pas compris ce qu'il te demandait, mais que tu l'aimes toujours, que tu veux seulement le voir heureux, et que tu deviendras avec bonheur sa femme quand il le voudra.

Malgré sa faiblesse, Claudine se dressa, les mains étendues dans un geste de protestation.

— Moi, devenir sa femme ! Endurer cet esclavage ma vie entière ! Oh ! jamais !

Prosper se leva brusquement ; il lui saisit le poignet en l'enveloppant d'un regard furieux.

— Jamais ? Tu oses le dire, alors que tu es la cause de son acte de désespoir ? Je me suis contraint jusqu'ici à te parler avec tranquillité, malgré la colère et le ressentiment qui remplissent mon âme. Mais je ne souffrirai pas de résistance. Je veux, je veux que tu épouses Alexis, car je sais que sans cela il recommencera.

— Jamais ! jamais ! dit-elle avec énergie.

Il lui secoua le poignet avec violence.

— Je le veux, entends-tu ? Cela se fera, et si tu lui montres que tu n'acceptes qu'à contrecœur, prends garde à toi ! Je te laisse jusqu'à demain pour prendre un autre visage.

— Demain sera comme aujourd'hui. Ne comptez jamais que je me prêterai à cette hypocrisie ! s'écria-t-elle avec indignation.

— Ah ! tu veux résister ! Eh bien ! demain, si ta réponse n'est pas ce que je veux, je te chasse de chez moi, tu t'en iras errer sur la voie publique, et il n'y aura plus rien de commun entre nous ! Cela, je le ferai, je te le jure ! La soumission complète, ou bien dehors !

Il lâcha le poignet de la jeune fille si brusquement qu'elle s'affaissa à terre, et sortit en frappant la porte avec violence.

Claudine demeura quelques instants étourdie, étendue sur le tapis, puis elle se releva péniblement et se laissa tomber sur un fauteuil. Elle venait d'user ses forces pour répondre à Prosper, et de nouveau la prostration la reprenait, plus lourde.

Elle ne pouvait plus penser ; quelques mots seulement de son entretien avec Prosper surgissaient dans son cerveau bourdonnant. Elle renvoya Léonie en disant : « Laissez-moi, je veux être seule », et les heures s'écoulèrent, la laissant dans un complet anéantissement de corps et d'âme.

-:-

Minuit, l'obscurité était complète dans la chambre de Claudine, la jeune fille gisait toujours sur son fauteuil...

Mais la fièvre revenait avec violence, elle la brûlait et la glaçait tour à tour, elle surexcitait son cerveau et le peuplait d'images étranges et douloureuses.

De temps à autre, des mots s'échappaient de ses lèvres, tandis qu'elle pressait son front entre ses mains.

— Je veux être heureuse ! Je ne veux plus souffrir... Oh ! la mort, la délivrance !

Une heure... deux heures... trois heures... L'exaltation croissait chez Claudine ; une force factice, produite par la fièvre, la soulevait de son fauteuil.

— Je souffre trop. Quel espoir me reste-t-il ? dit-elle tout haut, d'une voix rauque qui résonna étrangement dans l'absolu silence de la nuit. Aujourd'hui, je serai jetée à la rue, il me l'a dit, et il le fera. Il vaut mieux en finir avant.

Un souvenir lui revint tout à coup... celui des

paroles entendues un jour du haut d'une chaire catholique : « Le vrai bonheur est dans le sacrifice, dans la lutte pour le devoir, dans la résignation sereine et forte... »

Mais elle secoua la tête en murmurant avec un sombre désespoir :

— C'est bon pour ceux qui croient à l'au-delà. Mais moi, on m'a appris que tout était anéanti à la tombe. Pourquoi, dès lors, le sacrifice et la lutte, pourquoi supporter la souffrance quand la mort peut m'en délivrer ?

Elle se leva tout à fait et marcha vers la porte. Elle l'ouvrit doucement, descendit l'escalier à pas imperceptibles. Dans le vestibule, elle prit la clé de la grille qui s'y trouvait accrochée et tira les verrous de la porte de la maison. Elle s'engagea dans le jardin de devant... Ses pieds chaussés de pantoufles s'enfonçaient dans la neige, un froid intense tombait sur ses épaules couvertes seulement d'une robe de chambre. Mais elle ne sentait rien, elle marchait comme en un rêve terrible.

La grille franchie, elle s'en alla d'un pas étrangement ferme. Par la rue de Béthune, elle gagna la rue Duplessis. Mais ses jambes fléchissaient maintenant, une grande fatigue, un engourdissement douloureux commençaient à l'envahir, en même temps qu'une terreur folle de se trouver seule dans cette obscurité intense.

— Il faut pourtant que j'arrive. Il faut ! murmurait-elle.

Elle croyait voir déjà l'onde glacée qui l'attirait, là-bas ; le canal entouré de son cadre de futaies. Tout à l'heure, elle s'y plongeait, elle disparaîtrait, elle ne souffrirait plus, enfin, enfin !

Mais pourrait-elle arriver jusque-là ?

Voici qu'en se traînant elle atteignait le boulevard de la Reine, à l'endroit où il coupe la rue Duplessis. Elle s'arrêta, hésitante. Etait-ce à droite, à gauche ? Elle ne savait plus.

Au hasard, elle prit à gauche. Ses idées s'obscurcissaient complètement ; elle avançait par un dernier reste de volonté. Mais c'était fini, elle ne pouvait plus. Deux pas, trois pas encore, et elle s'affaissait, engourdie, inanimée. La neige, qui commençait à tomber, la couvrit bientôt d'une fourrure immaculée.

CHAPITRE XVII

— Ne sortez pas, maman, je vais aller vous balayer ça en deux temps, trois mouvements.

Au seuil de la porte ouverte, une silhouette masculine apparut, éclairée par la vive lumière de la lampe électrique placée au plafond de la petite salle à manger. Cette lueur, se répandant dans la cour, laissait voir le vaste et bel hôtel qui faisait face à la loge du concierge au seuil de laquelle se tenait le jeune homme en tenue d'ouvrier qui venait de prononcer ces paroles.

— Tiens, voilà le balai et la lanterne, mon Louis, dit derrière lui une voix féminine à l'intonation très douce.

Il se détourna et prit les deux objets, en souriant au fin visage un peu flétri, mais toujours charmant, qu'encadraient des cheveux tout blancs.

— Merci, maman. Cette coquine de neige nous donne de l'ouvrage, mais, bah ! ça va me réchauffer avant de partir pour l'atelier !

Il ferma la porte et se dirigea vers la petite porte placée à gauche de la grande réservée aux voitures. L'ayant ouverte, il se trouva sur le boulevard, complètement désert encore à cette heure très matinale.

Il posa sa lanterne à terre et se mit à balayer vigoureusement la neige qui avait reformé cette nuit une couche un peu épaisse. Elle s'était arrêtée de tomber, et le jeune homme murmura :

— Le vent a tourné au nord-est. Gare ! ça va pincer !

Une fenêtre de la petite maison qui était la demeure du concierge s'entrouvrit au premier étage ; une jeune voix masculine dit :

— Rentre, Louis, je vais aller finir ça !

— Inutile, mon petit ; fini, ça l'est dans deux minutes. Elle ne tient pas encore ; ça s'enlève facilement, et...

Il s'interrompit brusquement et fit quelques pas dans la direction d'un arbre au pied duquel se voyait un tumulus insolite.

— Tiens, qu'est-ce que c'est que ça ? On dirait, mais oui, c'est une créature humaine ! toute couverte de neige !

— La malheureuse ! Je descends, Louis.

Et la fenêtre fut vivement refermée.

Le jeune ouvrier se pencha, il balaya en un clin d'œil la neige qui enveloppait cette créature inerte.

— Une femme ! Quelle pitié !

Une porte s'ouvrit, un pas rapide s'approcha. Un jeune homme plus petit que lui apparut et s'élança vers lui.

— Eh bien ?

— C'est une femme. Aide-moi à la transporter, nous verrons si elle est encore vivante.

Ils enlevèrent à eux deux la malheureuse, et ce n'était pas un fardeau bien lourd, comme le fit remarquer Louis. Puis ils rentrèrent dans la cour, au milieu de laquelle s'était avancée leur mère.

— Seigneur ! dit-elle en joignant les mains. Portez-la sur mon lit, mes enfants !

Ils rentrèrent tous dans la maison, et les jeunes gens pénétrèrent dans une pièce voisine de la salle à manger, gentille chambre claire et admirablement tenue. Ils déposèrent l'inconnue sur le lit, et leur mère, qui les avait suivis, s'approcha et se pencha vers elle.

Une exclamation de stupeur s'échappa de ses lèvres à la vue du jeune visage rigide éclairé par l'ampoule électrique.

— Comme elle te ressemble, Louis !

— C'est pourtant vrai ! dit le plus jeune des deux frères. Et à vous aussi, par conséquent, maman.

Dominant son saisissement, Micheline se mit en devoir de donner sans tarder ses soins à la malheureuse, tandis que ses fils s'occupaient, dans la pièce voisine, à faire chauffer de l'eau et à préparer le nécessaire dans le cas où l'étrangère vivrait encore.

A travers la porte, ils entendirent leur mère s'écrier :

— Le cœur bat, mes enfants ! Cours vite chez le docteur Murand, Lucien, je vais, en attendant, faire tout le possible.

Lorsque le médecin arriva, l'étrangère se ranimait un peu. Il murmura après l'avoir examinée :

— Hum ! elle est bien faible ! Si elle en réchappe, elle aura une fière chance !

— Une si jeune fille, murmura Micheline d'une voix étouffée par l'émotion.

L'inconnue avait ouvert les yeux. Mais ses grandes prunelles bleues semblaient absolument inconscientes.

— Hum ! elle pourrait bien n'avoir pas toute sa raison ! dit le docteur. Cela expliquerait son aventure. Car, voyez, ce n'est pas une pauvresse. Sa robe est élégante, bien que ce soit un costume d'intérieur. Elle se sera enfuie sous l'empire d'un accès de folie.

Il s'éloigna après avoir prescrit les remèdes et les soins à donner, en disant qu'il reviendrait dans le courant de la matinée.

— Louis, aussitôt que le poste de police sera ouvert, tu iras prévenir de ce qui vient d'arriver, dit Micheline à son fils aîné. Comme on recherchera certainement bientôt cette pauvre enfant, on pourra donner aussitôt les renseignements nécessaires.

Elle retourna près de la jeune fille et considéra longuement le joli visage tout à l'heure si pâle, et que la fièvre commençait à empourprer maintenant. Une émotion profonde s'était emparée d'elle, depuis l'instant où elle avait vu cette étrangère étendue là, si semblable par les traits à son fils aîné. Cette émotion était plus que la pitié produite par l'état où se trouvait la jeune fille ; il s'y mêlait un sentiment que Micheline n'aurait su expliquer, mais qui l'attirait impérieusement vers cette malheureuse enfant.

La fièvre augmentait, l'oppression arrivait. Louis et Lucien étaient partis à leur travail. Micheline ne pouvait songer à laisser la malade seule pendant qu'elle irait chercher le médecin. Elle ouvrit la porte de la loge et vit sur le perron de l'hôtel un domestique en tenue de travail qui secouait un tapis.

— Monsieur Romain, appela-t-elle.

Il tourna la tête vers elle et demanda :

— Qu'est-ce qu'il y a, madame Mariey ?

— Est-ce que vous pourriez me rendre un service ? Courir chez le docteur Murand pour qu'il vienne tout de suite ?

— C'est pour la malheureuse que vous avez ramassée ce matin, m'a raconté M. Lucien ?

— Oui, elle me paraît beaucoup plus malade.

— Bon, j'y vais, madame Mariey, le temps d'endosser un veston.

Micheline retourna s'asseoir près de la jeune fille. Celle-ci commençait à s'agiter, le délire arrivait, des phrases sans suite s'échappaient de sa gorge haletante.

— Fiancé ! Oh ! que souffre ! Non, je ne serai pas sa femme ! Alexis, tu me fais mal ! Oh ! je vais mourir ! Enfin ! voilà le néant !

— Pauvre petite créature ! murmura Micheline en joignant les mains. Ce doit être une malheureuse victime de l'éducation sans Dieu, qui n'a pu supporter quelque grande souffrance.

Et, s'agenouillant auprès du lit, Micheline se mit à prier pour la jeune malade qui émouvait si profondément son cœur.

Le médecin ne dissimula pas que le danger était grand. La jeune fille avait une congestion pulmonaire, laquelle menaçait de se compliquer de fièvre cérébrale.

— Je ne sais comment vous allez faire, madame, dit-il à Micheline. En cet état, et par ce temps glacial, la pauvre créature ne pourrait être transportée sans danger, même à l'hôpital, si voisin qu'il soit.

— Mais elle restera ici ! Rien n'est plus facile ! dit spontanément Micheline.

— Ce sera un fameux dérangement pour vous ! Enfin, nous allons voir si on la réclame, et ensuite il faudra prendre quelques dispositions pour les soins à donner, auxquels vous ne pourrez suffire, d'autant plus que si la fièvre cérébrale se déclare, il faudra la maintenir de force dans son lit.

— Je trouverai quelqu'un pour m'aider, soyez sans crainte, monsieur le docteur. A la rigueur, la femme de chambre de Mme la comtesse ne refusera pas de venir me donner un coup de main. Et puis j'espère bien qu'on va la rechercher, et ses parents prendront les mesures nécessaires.

CHAPITRE XVIII

A peine le docteur s'était-il éloigné, que Micheline vit entrer la comtesse de Revals, à qui appartenait l'hôtel dont la veuve de Cyprien Mariey était concierge depuis plusieurs années. C'était M. de Mollens, cousin de cette dame, qui avait procuré à Micheline cette place si tranquille et si parfaitement agréable de toute façon, car la comtesse était extrêmement bonne et généreuse sous ses allures un peu vives.

Elle avait appris la découverte faite par Louis sur le boulevard, et, avant de partir pour la messe de neuf heures, elle venait voir la jeune étrangère et s'informer du diagnostic médical.

Elle sursauta à la vue de la malade.

— Mais c'est Louis ! mais c'est vous, Micheline !

— Vous trouvez aussi, madame ? Ce fut mon premier cri, et aussi celui de Lucien, en voyant le visage de cette pauvre enfant.

— C'est une ressemblance extraordinaire, au point de croire que cette jeune fille est la sœur de Louis !

— Sa sœur, murmura Micheline toute pâle. Elle vit, peut-être. Où est-elle ?... Si, pourtant, c'était elle !

— On a vu des choses plus étonnantes. Votre bébé n'avait-il pas quelque signe particulier ?

— Si, dans le dos, ma Suzanne avait un large point noir. Le docteur m'avait dit que cela ne disparaîtrait jamais.

— Eh bien ! avez-vous regardé ?

— Oui, tout à l'heure, quand le docteur l'a auscultée. Je n'ai rien vu. Mais je n'ai pu regarder très attentivement, car le docteur, qui n'est pas patient, m'a dit brusquement : « Eh bien ! qu'est-ce que vous faites là ? Aidez-moi donc plutôt à la recouvrir bien vite, car il ne s'agit pas de lui laisser prendre froid. » Je n'ai pas osé lui faire part de mon idée, qui me semblait si folle.

— Pas tant que cela ! Nous allons examiner la chose, Micheline ; il faut être fixé. Une automobile qui s'arrête ! A cette heure, je me demande qui ce peut être.

— Peut-être ses parents, dit Micheline en pâlissant. Nous forgeons de belles chimères, qui vont s'évanouir en un instant.

Le timbre électrique du dehors résonna. Micheline tira le cordon, puis elle s'avança sur le seuil de la loge.

Une exclamation s'étouffa dans sa gorge. Un homme de haute taille, enveloppé d'un riche pardessus fourré, s'avançait vivement, et elle venait de reconnaître en lui Prosper Louviers.

Lui, avait eu un brusque mouvement de

recul ; une teinte presque verdâtre se répandait sur son visage.

— Ah ! murmura-t-il.

Mais, se ressaisissant aussitôt, il souleva son chapeau en disant froidement :

— Est-ce vous, madame, qui avait trouvé ce matin devant votre porte une jeune fille ?

— Oui, mon fils l'a trouvée ici.

La voix de Micheline avait peine à sortir de sa gorge, serrée par une émotion inexprimable.

— Je suis à la recherche de ma nièce, qui s'est enfuie de chez moi sous l'empire d'un accès de folie. Au commissariat de police, on m'a appris qu'une jeune personne inconnue avait été recueillie par vous. Ma nièce est blonde, grande et mince, d'apparence frêle ; elle doit être vêtue d'une robe de chambre, chaussée de pantoufles.

— Oui, c'est cela, mrmura Micheline. D'ailleurs, vous pouvez voir.

Elle le précéda dans la cour, puis à travers la petite salle à manger. Un tremblement intérieur l'agitait, un brouillard couvrait son regard.

Dans la chambre, Prosper salua Mme de Revals et s'approcha du lit.

— Oui, c'est bien Claudine, dit-il d'un ton légèrement frémissant. J'en étais à peu près certain, du reste. Mais elle paraît bien malade ?

— Elle a une congestion pulmonaire, et le docteur craint la fièvre cérébrale, dit la voix tremblante de Micheline.

Prosper eut un violent froncement de sourcils en murmurant :

— Quel agrément tout ça va me donner ! Il va falloir maintenant des précautions pour la ramener là-bas.

— Vous voulez l'emmener ? s'écria Micheline.

— Mais pourquoi pas ? dit-il avec hauteur.

— Parce que ce serait la tuer à peu près sûrement. Le docteur l'a dit, elle n'est pas transportable en ce moment.

Il leva un peu les épaules.

— Des exagérations ! Je vais retourner à la maison chercher des couvertures et des fourrures, elle ne craindra rien ainsi. D'ailleurs, je ne puis accepter qu'elle vous embarrasse plus longtemps.

— Elle ne m'embarrassera pas ! interrompit vivement Micheline. Je la garderai volontiers ici tant qu'elle ne pourra être transportée sans danger.

— Je vous remercie, mais je ne puis accepter cette offre, dit-il froidement.

Mme de Revals, qui avait jusque-là écouté en silence, prit la parole d'une voix ferme :

— Ah çà ! monsieur, avez-vous donc envie que cette pauvre petite perde les quelques chances qui lui restent d'échapper à la mort ?

Il lui lança un regard de sourde colère et dit sèchement :

— Vous ne le penserez pas, madame, quand je vous aurai dit que cette jeune fille est la fiancée de mon fils, et que celui-ci ne survivrait pas à sa mort.

— Alors, je ne comprends pas ce que signifie votre refus ? Puisque Mme Mariey vous offre de conserver votre nièce sous son toit, rien n'est plus simple que de faire installer près d'elle une garde-malade. Je suis la comtesse de Revals, propriétaire de cette demeure, et je réponds absolument de ma concierge. Je puis même vous certifier qu'on ne trouvera chez quiconque plus de dévouement et d'intelligence. D'ailleurs, faites venir votre médecin, vous verrez ce qu'il en pensera.

Prosper se mordait violemment les lèvres, ses yeux luisaient d'une irritation contenue, à laquelle se mêlait, semblait-il, une inquiétude.

— Vous avez peut-être raison, dit-il avec un calme forcé. Je vais immédiatement chez le docteur et je le ramènerai. Vous comprendrez, madame, que je préfère avoir ma nièce chez moi, afin de pouvoir suivre toutes les phases de sa maladie, connaître aussitôt la moindre amélioration ?

— Je le conçois parfaitement, monsieur, mais il serait, me semble-t-il, d'une affection mal entendue que de risquer, du fait de ce transport, une aggravation dans l'état de cette pauvre petite. Enfin, voyez votre médecin, c'est le plus simple.

— Evidemment. Si je le trouve chez lui, je serai ici dans un moment.

Il salua et s'éloigna, sans regarder Micheline.

— C'est ce parent de votre mari dont vous m'aviez parlé ? Louviers, le député socialiste ? interrogea Mme de Revals, aussitôt que la porte se fut refermée sur lui.

— Oui, madame. Vous le connaissez donc ?

— J'ai assisté dernièrement à une séance de la Chambre ; je l'ai vu et entendu. La chose commence à s'éclaircir. Vite, voyons si la petite possède ce signe !

Avec des mouvements très doux qu'on n'aurait guère attendus d'elle, un peu brusque à l'ordinaire, la comtesse aida Micheline, frissonnante d'angoisse, à soulever la jeune fille, que la seule présence de Prosper, le son de sa voix brève semblaient avoir agitée douloureusement. Les mains tremblantes de Micheline découvrirent le dos de Claudine, la veuve se pencha. Une exclamation de bonheur s'échappa de ses lèvres.

— Oui, le voilà !... Regardez, madame ! Il s'est un peu atténué avec le temps, mais il existe.

— C'est exact. Cette enfant est votre fille, Micheline.

— Ma fille ! ma Suzanne ! balbutia Micheline en appuyant ses lèvres sur la blonde chevelure.

Comme si la malade eût eu conscience de ce baiser maternel, elle murmura :

— Oh ! c'est bon !

Micheline la recouvrit avec des mouvements tendres et doux, puis elle s'agenouilla près du lit et se mit à contempler la jeune fille avec un regard où se mêlaient la joie et la douleur.

— Oh ! merci, merci, mon Dieu, d'avoir enfin exaucé ma prière ! s'écria-t-elle en joignant les mains. Mais ne me la rendrez-vous que pour me l'enlever aussitôt ?... Ma Suzanne, ma petite chérie !

Elle défaillait presque sous l'influence de l'émotion indescriptible qui la saisissait. La comtesse l'aida à se relever et la fit asseoir dans un fauteuil.

— Allons, ma bonne Micheline, soyez forte, car il s'agit d'éclaircir le rôle joué par ce coquin.

Micheline se redressa brusquement.

— Lui ! c'est vrai. Oui, il m'a volé ma fille !

— Cela ne fait pas l'ombre d'un doute. Il s'est vengé de cette manière basse et cruelle.

— Il faudrait prévenir M. de Mollens. Il saura ce qu'il faut faire. Car, maintenant, je ne peux pas laisser cet homme emmener ma Suzanne !

— Ah ! non, il ne faut plus la lâcher ! Je vais envoyer immédiatement Jean à bicyclette chez mon cousin. Pourvu que ce coquin ne trouve pas tout de suite son médecin. Autrement, il serait de retour ici bien avant l'arrivée de René.

— Quand même, je ne la laisserai pas partir ! dit énergiquement Micheline.

Un quart d'heure s'écoula. Le médecin de Prosper était sans doute déjà parti de chez lui, le député avait dû aller à sa recherche. Micheline espérait déjà que M. de Mollens serait là avant lui.

Mais non, voici qu'elle entendait le ronflement de l'automobile. Elle eut un sursaut d'angoisse et éleva son cœur vers Dieu en une ardente supplication.

Quelques instants plus tard, Prosper entrait, suivi d'un homme d'un certain âge.

— Voilà le docteur Charlier. Il va immédiatement examiner ma pupille.

Malgré l'émotion qui l'étreignait, Micheline nota ce dernier mot. Prosper ne disait plus ma « nièce », comme tout à l'heure.

— Voulez-vous entrer par ici, docteur ? dit-elle en précédant le médecin vers la chambre.

Elle laissa la porte ouverte et Prosper se mit à se promener de long en large dans la petite salle à manger. Son regard, sombre et dur, était sans cesse comme magnétiquement attiré vers deux grandes photographies placées sous un crucifix et représentant Cyprien et Micheline au lendemain de leur mariage.

L'examen se prolongeait ; on n'entendait, dans la pièce voisine, que le bruit de la respiration haletante de la malade et, de temps à autre, la voix brève du docteur adressant une question à Micheline.

Prosper se rapprocha enfin de la porte.

— Eh bien ? interrogea-t-il à voix basse.

— Une minute et je suis à vous, répondit le docteur.

Bientôt, en effet, il apparaissait dans la salle à manger.

— L'état est excessivement grave, monsieur, je dois vous l'avouer sincèrement. J'espère conjurer la fièvre cérébrale, mais la pneumonie est déclarée, et la jeune fille est si faible que, hum !... En tout cas, il ne peut être question de la faire bouger d'ici.

Les traits de Prosper se crispèrent un peu. Mais il dit avec un calme forcé :

— Soit, puisqu'il faut en passer par là. Connaissez-vous, madame, une garde-malade disponible ?

Ces mots s'adressaient à Micheline qui se tenait au seuil de la chambre et venait de tressaillir de satisfaction en entendant la dernière déclaration du docteur.

— Oui, monsieur, j'en trouverai facilement. Du reste, je suis moi-même accoutumée à soigner les malades, et vous pouvez être certain que je ne négligerai rien pour votre pupille.

— Je vous en remercie d'avance, dit-il froidement. Je vais vous remettre l'argent nécessaire pour les premiers jours ; vous me direz ensuite...

Mais elle étendit la main avec une vivacité dont elle ne fut pas maîtresse.

— Non, gardez votre argent. Je ne puis en accepter...

— Mais pourquoi donc ? Vous ne pensez pas, cependant, que je vais vous laisser soigner ma pupille à vos frais ?

Il la regardait avec une sorte de hauteur qui ressemblait à un défi. Micheline, réussissant à se dominer, car elle ne voulait pas d'explications devant le médecin, dit simplement :

— Vous réglerez cela plus tard, quand elle sera guérie.

Un bruit de pas se faisait entendre dans la cour, la porte s'ouvrit, laissant apparaître la haute silhouette de M. de Mollens, et, derrière lui, Mme de Revals.

Prosper devint livide, il se contint avec peine pour ne pas reculer.

Le médecin, surpris, répondit au salut du marquis. Celui-ci dit avec une tranquille aisance, en s'adressant à Prosper :

— J'aurais quelques éclaircissements à vous demander, monsieur. Pendant que votre chauffeur reconduira le docteur, nous aurons le temps de parler.

Prosper s'était promptement ressaisi.

— Si vous voulez un entretien, venez me trouver chez moi ! dit-il d'un ton rogue. Ici, ce n'est ni le lieu ni le moment...

— Vous jugerez que si, tout à l'heure. Du reste, si vous avez encore à causer avec le docteur, je me retirerai dehors.

— Non, je n'ai rien à lui dire. Mais je me demande, monsieur, comment un homme soi-disant bien élevé tombe ainsi sur moi, chez des étrangers, pour me forcer à m'entretenir avec lui ?

M. de Mollens ne parut aucunement s'émouvoir du ton insultant de son interlocuteur.

— Tout d'abord, je vous apprendrai que je ne suis pas ici chez des étrangers, Mme de Revals étant ma cousine. En second lieu, je vous répète que vous comprendrez tout à l'heure ma façon d'agir, à moins que ce ne soit chose faite déjà.

Les deux hommes se mesurèrent du regard. Sans doute, Prosper lut-il dans les yeux du marquis une résolution inébranlable, car il se tourna vers le docteur en disant d'un ton contraint :

— Eh bien ! docteur, faites-vous reconduire et excusez-moi. Vous voyez que je suis obligé de céder aux importunités de ce monsieur pour m'en débarrasser au plus vite.

— Oh ! ce ne sera pas long, si vous le voulez, dit M. de Mollens avec ironie.

Lorsque la porte se fut refermée sur le médecin, Prosper fit deux pas vers le marquis, et, croisant les bras sur sa large poitrine, dit d'un ton arrogant :

— Maintenant, dites-moi ce que signifie...

— J'ai simplement quelques questions à vous adresser. On m'a dit que cette jeune fille ne vous était unie par aucun lien de parenté, que vous l'aviez trouvée jadis, tout enfant, sur la route de Riom à Clermont ?

— Oui. Eh bien ?

— Saviez-vous que Mme Mariey avait eu une petite fille enlevée, volée, à Meudon, où elle habitait alors ?

Sèchement, sans baisser son regard que fouillait celui du marquis, Prosper répondit :

— Non, je l'ignorais.

— Ah ! vraiment ? Eh bien ! Mme Mariey, ayant constaté l'extraordinaire ressemblance de cette jeune fille avec son fils aîné, a eu l'idée de rechercher si elle possédait un signe particulier existant sur le corps de sa petite Suzanne. Ce signe, elle l'a trouvé.

Les veines se gonflaient au front de Prosper, ses yeux luisaient de fureur contenue.

— Voilà une histoire prestement bâtie, dit-il avec insolence. Mais vous ne me ferez pas avaler ça tout de go ! Il ne faut pas prendre Prosper Louviers pour un imbécile, monsieur de Mollens !

— Un imbécile, non, mais un coquin !

Prosper bondit avec une exclamation de rage et fit le mouvement de se jeter sur M. de Mollens. Mais la main du marquis saisit son poignet et le serra comme en un étau.

— Pas de violence, cela ne servirait qu'à aggraver votre cas. Car nous vous accusons, Mme Mariey et moi, d'avoir volé la petite Suzanne, dans le but de vous venger du refus méprisant de la veuve de Cyprien.

— Menteur ! misérable ! bégaya Prosper dont la physionomie était décomposée par la fureur.

— Les insultes d'un être de votre espèce ne peuvent m'atteindre. Vous avez imaginé cette histoire d'enfant trouvée, qui vous donnait du même coup une auréole de bonté et de charité ; vous avez su, auparavant, égarer les soupçons en emmenant mystérieusement la pauvre petite jusqu'en Auvergne, en automobile, probablement ? C'est une façon si commode de pratiquer les enlèvements !

Prosper eut une sorte de rauque éclat de rire.

— Mais vous avez très bien imaginé votre petite histoire ! Quel talent vous possédez ! Seulement, voyez-vous un peu Prosper Louviers, le député connu comme le Pont-Neuf de tous les ouvriers des environs de Paris, s'en allant enlever une petite fille sans que personne s'en aperçoive !

— Vous aviez un complice, évidemment. Je ne suis pas assez naïf pour penser que vous avez opéré vous-même.

D'un mouvement brusque, Prosper se dégagea de l'étreinte de M. de Mollens.

— En voilà assez ! J'ai eu jusqu'ici la patience d'écouter vos inventions, mais ça ne durera pas davantage.

— Oui, vous pouvez partir maintenant, je vous ai dit ce qu'il fallait. Suzanne est chez sa mère, elle y restera. Mme Mariey vous fera l'aumône de son pardon pour ce que vous lui avez fait souffrir.

— Encore ! dit Prosper, grinçant des dents. Ah çà ! montrez-moi d'abord les preuves de ce que vous avancez ?

— Des preuves ? je n'en ai pas encore d'absolues, mais tout au moins de fortes présomptions. Si nous faisions venir la chose en justice, il y aurait du bruit autour de votre nom. Vous avez des ennemis puissants, Prosper Louviers, votre popularité baisse. Je crois que vous avez tout intérêt à vous taire.

Les yeux de Prosper s'injectaient, ses poings se crispaient furieusement.

— Me taire ? Nous verrons cela ! Tout à l'heure, la justice sera prévenue , et vous aurez à rendre compte de vos insultes, de votre tentative de chantage.

— La perspective ne m'effraye aucunement.

Si vous ne craignez pas l'accusation publique, il me sera facile de vous contenter.

Sous le calme dédaigneux de M. de Mollens, Prosper semblait un animal acculé. Brusquement, il tourna les talons en disant d'une voix étranglée par la rage :

— Nous verrons bien qui l'emportera !

— Oui, nous verrons ! riposta M. de Mollens. Et nous saurons peut-être aussi la cause de la fuite de cette pauvre enfant qui n'était probablement fort heureuse chez vous, tout socialiste que vous êtes !

A peine la porte se fut-elle refermée sur Prosper que Mme de Revals s'écria :

— Mais, René, tu ne songes pas, je suppose, à laisser ce coquin impuni ?

— Ma chère amie, je n'ai malheureusement pas de preuves formelles. Peut-on jamais, en ce cas, prévoir le résultat d'un procès ? Mais, fort heureusement, j'ai tout lieu de croire qu'il évitera de s'engager dans cette voie. Il est en ce moment dans une mauvaise passe, et ses ennemis auraient vite fait de profiter de l'aventure pour amener sa ruine politique. Oui, je crois, madame Mariey que vous pouvez conserver sans crainte votre Suzanne.

— C'est bien elle, n'est-ce pas ? balbutia Micheline, toute blanche d'émotion.

— En douteriez-vous encore, après avoir vu l'attitude de cet homme ? Il y avait en lui la fureur de se voir découvert, et rien, absolument rien, de l'indignation qui aurait existé si nos accusations avaient frappé injustement. Il lui était presque impossible de nier, devant la ressemblance si frappante de cette jeune fille avec vous et votre fils aîné. Cependant, en justice, le fait n'aurait peut-être pas un très grand poids, non plus que le signe que vous avez retrouvé, à moins que d'autres ne l'aient constaté autrefois.

— Je l'avais fait remarquer à Mlle Césarine

— Bon, cela ! nous aurions déjà un témoin Enfin, madame Mariey, s'il en arrive là, nous mettrons tout en œuvre. Pour le moment, vous avez la jeune fille, il s'agit de la soigner et de la sauver.

— Oh ! mon Dieu, si elle allait mourir ! murmura Micheline. Qu'est-ce que ce monstre a pu lui faire pour qu'elle soit partie ainsi, ma chérie, ma Suzanne ?

— Je m'en doute un peu. Il faut vous dire, d'abord, que je me méfiais de quelque chose, et que je surveillais beaucoup les agissements de nos voisins.

Et le marquis raconta la visite de sa femme à la villa Lætitia, sa surprise à la vue de Claudine, vivant portrait de Micheline à vingt ans, les soupçons dont ils avaient été saisis.

— Il y a peu de temps, j'appris que le fils de Louviers, qui est infirme, avait essayé de se donner la mort. Les domestiques racontaient que c'était à cause du refus de devenir sa femme que lui avait fait Mlle Claudine. Celle-ci était malade et ne sortait pas de sa chambre. Il se peut que Louviers ait encore essayé de peser sur sa volonté, qu'il l'ait menacée, et la pauvre enfant, dans un moment de désespoir, se sera enfuie de chez lui.

— Oui, dans son délire, elle disait quelque chose comme cela. Ma pauvre fille ! Comme elle a dû souffrir !

— Mais, maintenant, vous allez l'entourer de soins et de tendresse, ma bonne Micheline, dit Mme de Revals en lui prenant la main. Vous aurez à lui donner tout un arriéré d'affection. Et je crois que Louis et Lucien vont être contents de retrouver leur sœur ?

— Oh ! madame, ils en parlaient si souvent ! Jamais ils n'ont désespéré de la retrouver un jour.

— Les braves garçons ! Allons, nous vous laissons, Micheline, je vous enverrai tout à l'heure Emilie pour vous aider. Ne me remerciez pas, c'est tout naturel. Pour passer la nuit, il vous faudra une religieuse, j'irai en chercher une chez les Franciscaines.

— Madame, quelle bonté ! Mais c'est inutile, je suffirai.

— Ah ! oui ! vous êtes si forte, vous aussi ! Laissez-moi faire, je vais arranger tout cela. Et nous allons bien prier pour que la petite guérisse.

— Mes filles vont aujourd'hui à Notre-Dame des Victoires, elles mettront un cierge à l'intention de la jeune malade, ajouta M. de Mollens en tendant la main à Micheline.

— Merci, monsieur le marquis ! merci également de vous être dérangé ainsi, d'avoir pris tout l'ennui de répondre à cet homme ! Que Dieu soit béni de nous avoir donné dans nos épreuves de si vrais, si dévoués amis !

CHAPITRE XIX

Quelles heures d'angoisse passa la pauvre Micheline au chevet de sa fille ! Un moment, le médecin désespéra de vaincre le mal. Il dit à Mme de Revals qui venait l'interroger :

— Elle est perdue, à moins d'un miracle.

Ce miracle, Dieu l'accorda à la mère qui le suppliait avec ardeur. Les poumons se dégagèrent, la fièvre tomba un peu, et il vint un moment où Claudine — ou plus exactement Suzanne — put enfin se rendre compte du lieu où elle se trouvait.

Son regard surpris rencontra les doux yeux bleus de Micheline, rayonnants de bonheur et de tendresse. Elle murmura :

— Mais que m'est-il arrivé ?

Le docteur et Mme de Revals avaient conseillé à Micheline de ne pas révéler aussitôt à la malade qu'elle avait retrouvé sa mère, dans la crainte que cette nouvelle ne l'agitât et ne ramenât la fièvre. Aussi la veuve, réprimant son ardent désir de la serrer entre ses bras, se contenta-t-elle de répondre avec douceur :

— Vous êtes chez quelqu'un qui vous aime beaucoup et qui vous soignera bien. Vous ne serez plus malheureuse, maintenant, ma chère enfant.

Le joli visage altéré par la maladie se contracta un peu, un effroi passa dans les prunelles bleues.

— Alexis ? M. Louviers ?

Micheline posa tendrement sa main sur son front.

— Ne craignez rien. Prosper Louviers ne peut plus rien sur vous. Ne vous tourmentez pas, laissez-vous bien soigner, ma chérie.

— Qui êtes-vous donc ? murmura la malade en lui prenant la main.

— Vous ne me connaissez pas. Je vous le dirai demain, si le docteur le permet. Reposez-vous maintenant, ma petite enfant aimée.

Suzanne ferma docilement les yeux. Mais elle les ouvrit au bout d'un moment, et son regard rencontra le crucifix, les images de piété pendues au mur, près de son lit. Elle dit avec stupéfaction :

— C'est comme à l'église, ici !

Le cœur de sa mère se serra à cette parole. Elle était d'avance bien certaine, hélas ! du genre d'éducation donné à sa fille par Prosper Louviers !

Elle se pencha et mit un baiser sur le front de la malade.

— Oui, c'est comme à l'église, on prie le bon Dieu et sa sainte Mère. Ils ont bien voulu vous guérir, mon enfant chérie, je vous apprendrai à les remercier avec moi.

— Oui, je veux bien, murmura la jeune fille.

Elle referma les yeux et, cette fois, s'endormit d'un calme sommeil.

Dans l'après-midi, Mme de Revals et Mme de Mollens vinrent prendre des nouvelles. Micheline les reçut dans la salle à manger et, après leur avoir appris que le docteur, à moins d'imprudences, répondait de sauver la malade, elle les introduisit dans la chambre où Suzanne, réveillée, essayait de se souvenir de ce qui s'était passé. La jeune fille tourna la tête vers les visiteuses ; un grand frisson la secoua soudain, tandis d'une expression d'intense souffrance remplissait le regard qu'elle attachait sur Mme de Mollens.

La marquise s'en aperçut et, après avoir dit à la jeune malade quelques mots affectueux, elle sortit avec sa cousine et Micheline.

— Ma présence a paru lui être pénible, fit-elle observer. Peut-être lui a-t-elle rappelé cette villa Lætitia où elle a dû beaucoup souffrir.

— Peut-être, madame la marquise. On voit qu'elle a peur de ce Prosper. Elle parle aussi d'un Alexis. Ce doit être le fils de cet homme ?

— Oui, il me semble qu'il s'appelle ainsi. Toujours pas de nouvelles du personnage ?

— Toujours rien, madame. Pourvu qu'il ne trouve pas quelque moyen de nous jouer un mauvais tour !

— Non, non, il aimera mieux laisser passer la

chose en douceur. Ayez confiance, Micheline, votre Suzanne vous restera.

Quand Micheline fut de retour près de sa fille, elle constata une recrudescence de fièvre, le délire reparut un peu, et Micheline, stupéfiée et pleine d'angoisse, saisit ces mots s'échappant des lèvres et la malade :

— Sa fiancée ! j'étais folle ! Il s'appelle Henry, j'ai entendu sa sœur, Henry de Mollens. Mais je suis la pupille du socialiste. Oh ! que je souffre !

Pâle et tremblante, Micheline leva les yeux vers le crucifix.

— Seigneur, serait-ce là le secret de ma pauvre petite ? Oh ! mon Dieu, si cela est, guérissez-là de cette folie ! Permettez que ma tendresse soit assez forte pour effacer en elle ce souvenir !

CHAPITRE XX

Suzanne savait maintenant qu'elle avait retrouvé sa mère. Et devant l'immense bonheur témoigné par la physionomie de la jeune fille à cette révélation, Micheline comprit combien la pauvre enfant avait été privée de tendresse, combien il lui serait facile de s'attacher le cœur de sa fille. Tout d'abord, elle n'avait rien dit du rôle joué par Prosper dans la disparition de l'enfant. Mais les questions de Suzanne, son étonnement du silence du député, l'avaient obligée à tout révéler à la jeune fille.

— Oh ! le misérable ! s'était écriée Suzanne. Et, pour comble d'hypocrisie, il m'humiliait sans cesse en me rappelant ses bienfaits, il voulait m'obliger à devenir la femme de son fils !

Elle avait raconté à sa mère sa pénible existence près de l'infirme despotique et jaloux ; elle lui avait laissé voir tous ses sentiments — tous, sauf un que soupçonnait cependant Micheline. Celle-ci avait suivi pas à pas les souffrances, les révoltes, les aspirations vers le bonheur de cette jeune âme droite et pure, très bonne, mais sur laquelle avait passé le souffle désespérant de l'athéisme. Suzanne lui avoua loyalement qu'elle avait cherché le suicide.

— J'étais, il est vrai, sous l'empire d'une fièvre violente ; mon cerveau se trouvait affaibli par la maladie, exaspéré par les menaces de cet homme. Oh ! maman, que j'ai souffert ! que j'ai souffert !

— Ma pauvre petite fille ! Et tu ne connaissais pas Dieu, tu n'avais pas les secours de notre bien-aimée religion. Mais maintenant, dis, ma chérie, tu voudras bien apprendre à prier ?

— Oh ! oui, apprenez-le-moi, maman ! Voyez-vous, sans espérance au-delà de la vie, l'existence est si sombre, si décourageante !

Louis et Lucien étaient fous de leur jeune sœur ; ils ne savaient qu'imaginer pour lui causer quelque plaisir. Elle leur témoignait une affection reconnaissante et les remerciait avec un joli sourire en disant :

— Combien vous êtes bons ! Je ne suis pas habituée à être gâtée comme cela.

Mais, sous la joie profonde causée à la jeune fille par la tendresse de sa mère et de ses frères, Micheline sentait une souffrance toujours vive, dont elle avait peur de soupçonner la nature.

Le docteur permit enfin, par un jour ensoleillé, que la malade quittât sa chambre pour venir s'asseoir dans la salle à manger. Micheline l'installa dans un fauteuil, près d'une table garnie de livres prêtés par Mme de Revals, qui venait quotidiennement visiter la jeune fille.

Suzanne ouvrit un des volumes, mais, au lieu

de lire, elle se mit à suivre du regard sa mère qui allait et venait, rangeant dans la petite pièce.

— Maman, je voudrais tant être guérie pour pouvoir vous aider ! dit-elle tout à coup.

— Cela arrivera bientôt, chérie.

— Oui, mais vous vous fatiguez beaucoup, en attendant !

— Ne t'inquiète pas de cela, ma petite fille ; je suis tellement heureuse maintenant, vois-tu ! Oh ! si seulement ton pauvre père était là !

— J'aurais tant voulu le connaître ! Lucien lui ressemble, n'est-ce pas ?

— Beaucoup. Il a aussi son excellente nature, si franche, si douce ; il est travailleur et rangé comme lui. Oh ! je suis vraiment privilégiée dans mes enfants !

— C'est que vous-même êtes si bonne, maman ! dit tendrement Suzanne en saisissant au passage la main de sa mère. Vous avez cependant dû tant souffrir ! Et cela par la faute de cet homme ! Combien vous devez le haïr !

Micheline se pencha et entoura de son bras le cou de sa fille.

— Suzanne, une chrétienne ne doit haïr personne ; bien plus, elle doit prier pour ceux qui la font souffrir.

— Oh ! maman !

— C'est ainsi qu'a agi notre Sauveur, mon enfant, et que sommes-nous près de lui, la sainteté même ? Oui, je prie pour le malheureux, mille fois plus à plaindre que je ne l'ai jamais été.

— J'aimerais à savoir comment va Alexis, dit pensivement Suzanne. J'ai beaucoup souffert par lui, mais, autrefois, il a été bon pour moi, et je crois qu'au fond il vaut beaucoup mieux que son père. Peut-être ai-je été trop dure pour lui, les derniers temps. Mais je me révoltais devant le dévouement, devant le sacrifice et les humiliations. Il paraît que les chrétiens doivent supporter tout cela.

— Oui, ma chérie ; ils supportent, avec la grâce divine, les pires situations. Chrétienne, tu l'es déjà par le baptême, mais je t'apprendrai à le devenir effectivement.

— Oh ! oui, maman, je vous en prie ! J'ai tant besoin de force, de...

Un coup léger frappé à la porte l'interrompit.

— Entrez, dit Micheline.

La porte s'ouvrit, laissant apparaître Mme de Mollens. Un peu en arrière se profilait une haute silhouette masculine, dont la vue fit tressaillir Micheline.

— Je viens prendre des nouvelles de notre petite malade, dit gracieusement la marquise en faisant quelques pas en avant.

Micheline jeta un coup d'œil vers sa fille. Suzanne était devenue toute blanche, un tremblement agitait ses mains frêles.

— Vous êtes trop bonne, madame la marquise. Entrez donc, monsieur Henry.

Mais l'invitation n'avait pas l'empressement ordinaire. Micheline avait un air contraint qui n'échappa pas à la mère ni au fils, non plus que la pénible émotion de Suzanne.

La jeune fille répondit avec effort aux affectueuses questions de Mme de Mollens. Sa souffrance était si visible que la marquise et Henry, refusant de s'asseoir, se retirèrent presque aussitôt.

— Elle paraît encore bien faible, bien impressionnable, la pauvre enfant ! fit observer le lieutenant lorsqu'ils eurent franchi le seuil de l'hôtel de Revals.

— Oui, il lui faudra quelque temps pour se remettre. Mais c'est curieux, Henry, comme notre présence paraît l'avoir bouleversée !

— C'est curieux, maman. Pourtant, elle nous connaît. Elle doit être très bonne, elle a paru vraiment affectée quand vous lui avez dit que le fils de Prosper, qui l'a tant fait souffrir, dépérit lentement et se refuse à sortir de sa chambre.

— Si elle tient de sa mère, elle pourra devenir une sainte. Quelle admirable créature que cette Micheline ! Mais je voudrais savoir la cause de l'émotion de cette pauvre petite.

Quelques instants, la marquise suivit d'un œil distrait une petite charrette traînée par une marchande de quatre-saisons. Et, tout à coup, elle se murmura à elle-même :

« Peut-être ai-je deviné. Pauvre enfant ! »

En ce moment même, Suzanne, la tête appuyée sur l'épaule de sa mère, pleurait convulsivement en laissant échapper son secret. Et Micheline murmurait tendrement :

— Ma petite fille, quelle folie ! Tu te consoleıas, va, tu oublieras cette chimère. Dans la prière, dans l'accomplissement de tes devoirs, tu trouveras la force, la résignation et aussi le bonheur.

— Le bonheur. Oh ! maman, ceci me prouve qu'il ne peut exister sur la terre !

— Complet et stable, non ; mais Dieu nous en accorde quelques parcelles, en attendant la plénitude qui nous sera donnée là-haut. Ainsi, moi, j'ai été heureuse quelques années près de mon cher mari. Il en sera de même pour toi, va, ma chérie.

Suzanne secoua la tête et murmura tristement :

— Non, je ne crois pas.

CHAPITRE XXI

La convalescence touchait maintenant à son terme, Suzanne reprenait chaque jour un peu de force, au physique et au moral. La chimère qui avait profondément pénétré son cœur affamé de bonheur terrestre, faute d'espérance d'au-delà, s'évanouissait lentement sous l'influence de la chaude tendresse de Micheline, de ses enseignements puisés aux sources de la plus pure morale évangélique. La pauvre âme meurtrie se guérissait ainsi peu à peu, elle s'épanouissait dans cette atmosphère chrétienne où elle trouvait enfin réalisées ses secrètes aspirations vers une vie morale autre que celle, si misérable, des Louviers et de leur entourage.

Aujourd'hui, la température étant particulièrement douce pour la saison, Suzanne avait eu la permission de faire quelques pas sur le boulevard. Micheline, retenue par ses occupations, ne pouvait l'accompagner, mais chaque fois que la jeune fille passait devant la maison elle frappait à la vitre de la salle à manger et échangeait un sourire avec sa mère.

Pour la cinquième fois, Suzanne faisait son petit va-et-vient et se préparait enfin à rentrer, lorsqu'elle aperçut de loin deux silhouettes qu'elle reconnut aussitôt. Ce devaient être Mme de Mollens et sa fille aînée.

Suzanne avait réussi à dominer l'impression pénible que lui causait la vue d'un des membres de la famille de Mollens. Maintenant, elle était même satisfaite de voir la marquise ou ses filles, très aimables, très affectueuses toujours à son égard.

Aussi s'empressa-t-elle d'aller au-devant d'elles. Dès le premier abord, elle remarqua qu'elles semblaient en proie à une certaine émotion.

— Ah ! vous vous promenez un peu, ma chère enfant ? dit Mme de Mollens en lui tendant la main. Voilà qui est tout à fait bien, et maintenant l'amélioration va marcher à pas de géant. Mais vous nous voyez tout émues, ma petite Suzanne ! Je viens d'apprendre un effroyable accident arrivé à des voisins.

— Vraiment ! A qui donc, madame ? demanda Suzanne avec intérêt.

La marquise hésita un peu en enveloppant du regard le visage encore fatigué de la jeune fille.

— Soyez courageuse, mon enfant. Il est toujours pénible de penser que des gens avec qui l'on a vécu sont morts de telle façon, sans avoir pu se reconnaître, les malheureux !

— Voulez-vous dire que ce soient les Louviers ? s'écria Suzanne en pâlissant.

— Oui, Prosper Louviers, sa sœur et son

neveu, qui ont été victimes ce matin d'un accident d'automobile. Les deux derniers sont morts sur le coup, M. Louviers vit encore, mais il est perdu.

— Oh ! mon Dieu, mon Dieu ! murmura Suzanne en joignant les mains. Pauvre Alexis, que va-t-il devenir !

— Il est déjà bien malade, et il refuse de se laisser soigner. Allons, vous voilà toute tremblante, Suzanne. Donnez-moi le bras et rentrons pour apprendre à votre mère la triste nouvelle.

Elles étaient à peine installées dans la petite salle à manger que la sonnerie de la porte d'entrée retentit. Micheline ayant tiré le cordon, on vit apparaître un domestique qui tendit une lettre en disant :

— Pour Mlle Mariey. Il y a une réponse.

Suzanne décacheta soigneusement la missive ; elle lut ces mots, tracés par la main d'Alexis :

Mon père est mourant, il voudrait te voir, Claudine, ainsi que ta mère. Si tu as eu autrefois un peu d'affection pour moi, comme tu me l'as dis un jour, viens à notre appel.

« ALEXIS »

La main tremblante de Suzanne tendit la lettre à Micheline. Celle-ci la lut, elle regarda sa fille. Dans ce regard, elles lurent réciproquement la même pensée.

Micheline s'avança vers le messager en disant :

— Répondez à M. Alexis que nous serons chez lui tout à l'heure.

Quand, une demi-heure plus tard, la voiture qui emmenait Micheline et sa fille s'arrêta devant le perron de la villa Lætitia, Suzanne eut un long frisson à la vue de cette demeure qui lui rappelait de si pénibles souvenirs. Tous les volets étaient clos, des gens inconnus allaient et venaient. La mort était entrée dans la luxueuse demeure où l'on n'avait jamais voulu songer à elle, où l'on n'avait vécu que pour extraire de la vie présente toutes les jouissances possibles, fût-ce aux dépens du prochain dont se raillaient si bien Zélie et son frère.

Suzanne précéda sa mère dans l'escalier du premier étage ; une femme de chambre inconnue de la jeune fille répondit à ses questions que M. Alexis était installé dans la chambre voisine de celle de son père. Suzanne, le cœur battant, alla frapper à la porte indiquée. La voix d'Alexis répondit :

— Entrez !

Le jeune homme était étendu sur sa chaise longue. A l'entrée de Micheline et de sa fille, il tourna la tête vers elles, et Suzanne retint un cri d'effroi devant l'effrayant changement de ce visage. Une immense émotion bouleversa la physionomie d'Alexis à la vue de la jeune fille. Il tendit les mains vers elle en disant :

— Te voilà enfin, Claudine ! Oh ! je savais bien que tu étais bonne !

Ce cri si sincère émut profondément Suzanne.

Elle s'avança vivement et mit ses mains dans celles de l'infirme.

— Alexis, j'ai été impatiente et mauvaise, j'ai bien des choses à me faire pardonner de toi.

— Et moi ! et moi, Claudine ! Ah ! comme je suis puni, depuis quelque temps ! Mon père, mon pauvre père !

Une douleur inexprimable se lisait sur son visage creusé, devenu d'une pâleur terreuse.

— Alexis, ne peut-on vraiment espérer ? demanda la voix tremblante de Suzanne.

— Les médecins ont dit que non. Ah ! madame, pardonnez-moi ! Dans l'émotion de revoir ma chère Claudine, je ne vous avais pas aperçue. Oh ! comme elle vous ressemble !

Micheline prit la pauvre main maigre qu'il lui tendait, sa voix douce prononça quelques affectueuses paroles de consolation. Mais il secoua la tête, tandis que ses lèvres se plissaient amèrement.

— Il n'y a plus rien pour moi. Heureusement, je serai bientôt débarrassé de la vie.

— Alexis ! protesta Suzanne.

Il la regarda avec une expression indéfinissable et murmura :

— Oui, ce sera bientôt fini.

Il passa la main sur son front et reprit d'une voix altérée :

— Il vous attend. Allez vite, les heures sont comptées pour lui.

Micheline et Suzanne entrèrent dans la pièce voisine. Le député était étendu sur son lit, la tête enveloppée de bandages. La garde, assise près de lui, se leva à l'entrée des deux femmes en demandant à voix basse :

— Est-ce vous que M. Louviers a fait demander ?

Au même instant, les paupières closes de Prosper se soulevèrent ; il fit, vers Micheline et Suzanne, un signe d'appel.

— Laissez-nous, dit-il à la garde.

Micheline et la jeune fille s'approchèrent. Il étendit la main et saisit celle de la veuve de Cyprien.

— Ecoutez, dit-il d'une voix haletante, je veux que vous sachiez que... que je regrette ce que j'ai fait. Mais vous m'aviez si durement traité ! Je vous haïssais autant que je vous avais aimée.

Il respira avec effort et reprit :

— Dites-moi que vous me pardonnez, dites, Micheline ?

— Oui, je vous pardonne, comme mon Dieu m'en a donné l'exemple, répondit gravement Micheline.

Prosper eut une sorte de rictus.

— Toujours bigote ! Ça doit changer Claudine. J'ai aussi quelque chose à te demander, Claudine.

Sa main, lâchant celle de Micheline, saisissait celle de Suzanne.

— Tu as été dure pour mon pauvre Alexis, mais enfin, j'ai été moi-même trop sévère envers toi. Il va rester seul, mon pauvre enfant. Claudine, ne voudras-tu pas l'aider à passer ces terribles moments ? Accepterez-vous, toutes deux, vous qui êtes un peu ses parentes, de tenter de ramener en lui le goût de la vie ? La pensée de le laisser seul, abandonné à des mercenaires, est ma torture. A vous seules, je le confierais sans crainte.

La mère et la fille se regardèrent, et Micheline dit doucement :

— Oui, nous n'abandonnerons pas le pauvre enfant, je vous le promets.

— Et vous ne lui direz pas ce que j'ai fait ? Il croit qu'un hasard m'a fait recueillir votre fille sur la route, là-bas, et que vous n'avez à me reprocher que d'avoir préparé la grève dont fut victime Cyprien.

— Non, je ne dirai rien, murmura Micheline. Pauvre enfant ! il est bien inutile, en effet, de lui apprendre tout cela.

— Merci, Micheline. Mais si Claudine voulait, si elle acceptait de devenir sa femme... Il sera très riche, il hérite de sa tante.

Suzanne recula avec un mouvement de protestation indignée.

— Ne parlez pas de cela ! Pensez-vous donc que pour de l'argent... ? Oh ! non, non !

Une crispation de colère passa sur le visage de Prosper.

— Mon pauvre fils ! Je ne comprends pas que...

Une suffocation lui coupa la parole. Micheline appela la garde et renvoya Suzanne, pour qui elle craignait tant d'émotions. La jeune fille alla s'asseoir près d'Alexis, comme autrefois, et ils demeurèrent silencieux, épiant avec angoisse les bruits de la chambre voisine.

La respiration revenait à Prosper. Il fit signe à la garde de s'éloigner de nouveau et dit à Micheline :

— Restez près de moi, ce sera bientôt fini.

Bientôt fini ! Et cette âme allait paraître devant Dieu avec un formidable poids d'iniquités, avec l'épouvantable responsabilité des autres âmes que Prosper Louviers avait entraînées vers le mal !

Frémissante de terreur et de compassion, Micheline essaya de lui parler de Dieu. Il répondit avec fureur. Mais la douce voix de Micheline était sans doute bien persuasive, car il se calma peu à peu, sans paraître toutefois vouloir se laisser convaincre.

— Vous avez pourtant été baptisé, Prosper ; vous avez fait votre première communion.

— Oui, mais le père me disait toujours que c'étaient des bêtises... et puis, c'est trop gênant, la religion. On n'est pas libre de faire ce qu'on veut.

— Oui, mais quelle paix on possède au moment de la mort !

— Bah ! il n'y a que le néant ! murmura Prosper.

Mais une ombre de terreur avait passé sur son regard.

Micheline se mit à prier avec ardeur. L'instant fatal approchait à grands pas.

Il se souleva tout à coup en murmurant avec effroi :

— J'ai peur ! Tout est noir autour de moi !

Elle se pencha vers lui et lui prit la main.

— Voulez-vous être rassuré ? Voulez-vous que j'aille chercher un prêtre ?

— Un prêtre ! Non, non !

La porte s'ouvrit, laissant apparaître Jules Morand et un autre personnage plus petit, très maigre, au nez magistral et à la longue barbe grise. Ils s'arrêtèrent un instant, surpris, à la vue de Micheline.

— Je suis la veuve d'un parent de M. Louviers, dit-elle avec une froide dignité.

— Ah ! très bien, madame ! dit le gros Jules. La mère de l'ex-Claudine, n'est-ce pas ? Une drôle d'histoire que celle de cette enfant découverte sur une route par Prosper, et qui se trouve être un peu sa parente !

La voix forte de Morand résonnait dans la chambre, sans souci de troubler le malheureux qui se mourait là.

Prosper eut un soubresaut, il étendit les mains.

— J'ai peur ! Un prêtre !

— Hein ? Quoi ? s'écria Morand d'un air ahuri, tandis que son compagnon laissait échapper une exclamation de stupeur.

Micheline, le cœur bondissant d'émotion, se pencha vers le mourant.

— Je vais en chercher un, Dieu permettra que vous viviez jusque-là.

Elle s'avança vers la porte. Mais, d'un brusque mouvement, Morand se trouva devant elle.

— Ah ! non, vous n'allez pas nous jouer celle-là, par exemple ! Un prêtre ici ! Restez tranquille, madame, et laissez-le mourir en repos.

Les yeux de Micheline, étincelants d'indignation, se posèrent sur le visage impassible de Morand.

— En repos ? Mais c'est le repos que je vais lui chercher ? Vous n'auriez pas l'infamie d'empêcher le prêtre d'arriver jusqu'à lui ?

— Oh ! là ! là ! les grands mots ! Le prêtre, il s'en moque bien ! C'est vous qui lui avez mis ça dans l'idée. Mais rien que de voir la robe noire, il en passera de vie à trépas.

— Un prêtre ! redit la voix haletante.

— Laissez-moi passer monsieur, vous n'avez pas le droit ! s'écria Micheline.

En même temps, elle essayait de l'écarter.

Mais il lui saisit brutalement le bras et la fit reculer.

— Ah çà ! vous m'embêtez ! Allez vous asseoir là-bas et ne vous occupez pas de ce que dit ce pauvre Prosper qui n'a déjà plus ses idées.

Elle jeta un coup d'œil vers la porte qui communiquait avec la pièce voisine. Mais le personnage à la barbe grise s'était placé devant comme une sentinelle.

— C'est odieux ! s'écria-t-elle aves indignation. Je suis sûre que si son fils était là, il me laisserait obéir au dernier désir de son malheureux père !

Morand eut un ricanement.

— Il serait peut-être bien assez bête pour ça ! Mais il ne peut pas bouger, c'est moi qui commande ici. Tâchez de vous taire maintenant, tout ce que vous pourrez me raconter ne changera rien à la chose. Prosper a vécu en ennemi de votre religion, il mourra de même, et moi aussi.

Navrée, mais comprenant qu'elle ne vaincrait pas l'épouvantable résolution de ce sectaire, Micheline s'assit près du mourant. Et, pendant une demi-heure, elle assista à sa terrible agonie, qu'adoucissaient seuls les encouragements, les prières murmurées à son oreille par la veuve de Cyprien, malgré les grossiers sarcasmes de Morand et de son compagnon. De temps à autre, la même supplication sortait des lèvres desséchées de Prosper.

— Un prêtre !

Et Micheline disait :

— Demandez pardon à Dieu. Si votre repentir est sincère, il peut malgré tout vous sauver.

Il eut tout à coup un spasme violent. Micheline appuya sur ses lèvres le petit crucifix qu'elle portait toujours sur elle. Morand bondit jusqu'au lit, il essaya de s'en saisir. Mais Micheline le repoussa avec une force surhumaine, en le toisant d'un tel coup d'œil de mépris qu'il s'arrêta brusquement.

Prosper eut un dernier spasme. Et ce fut fini, pour cette vie, de celui qui avait conduit à leur perte tant de ses frères du peuple, qui avait parfois, près de certaines âmes, rempli le rôle odieux que Jules Morand venait de jouer près de lui. Celui qui avait empêché le prêtre d'approcher du chevet de malheureux repentant de leurs erreurs s'était vu refuser, à sa dernière heure, cette même faveur suprême, et Dieu seul savait si son repentir avait été suffisant pour lui mériter malgré tout le pardon. Micheline lui ferma les yeux, puis elle se détourna, et, très pâle, elle marcha vers la porte. Cette fois, l'homme à la barbe grise s'était écarté. Les deux oiseaux de proie ne craignaient plus qu'on leur enlevât l'âme de Prosper.

Micheline ouvrit la porte, elle entra dans la pièce voisine. Alexis se redressa brusquement ; sa voix un peu rauque demanda :

— Madame, comment est-il ?

Mais, avant d'avoir terminé sa phrase, il avait lu la réponse sur la physionomie bouleversée de Micheline. Et, avec un grand soupir de douleur, il laissa aller sur le dossier de la chaise longue sa tête défaillante...

— Il me paraît impossible de le sauver... Seul, un grand bonheur pourrait ramener en lui le désir de vivre, sans lequel nous ne pouvons cependant espérer la guérison.

Tel avait été le diagnostic énoncé par le docteur, en présence de Micheline et de Suzanne qui lui demandaient son avis sur Alexis, quelques jours après la mort de Prosper.

Le jeune homme dépérissait d'une manière effrayante. Il avait seulement retrouvé un peu de force au lendemain de la mort de son père, pour chasser Jules Morand qui prétendait être le maître de la villa Lætitia. Il y avait eu entre eux une scène violente, à la fin de laquelle Morand, ivre de rage, avait clamé :

— Cette dame Mariey et sa fille savent ce qu'elles font ! Te voilà maître de trois beaux millions, elles ne les laisseront pas échapper, et tout ça ira à la calotte !

— Tant mieux, ce sera autant d'enlevé aux vautours de votre espèce ! avait riposté Alexis à qui Micheline n'avait pas laissé ignorer l'odieuse scène dont la chambre du mourant avait été le théâtre.

Morand s'était élancé furieusement sur l'infirme incapable de se défendre. Heureusement, Suzanne veillait dans la chambre voisine, elle avait appelé un domestique, et celui-ci, sur l'ordre d'Alexis, avait mis à la porte Jules Morand.

Après cette scène, Alexis s'était affaibli encore. Micheline et Suzanne ne le quittaient guère. Mme de Revals avait donné une remplaçante temporaire à sa concierge, afin que celle-ci pût prodiguer ses soins à son jeune parent. Alexis se montrait très reconnaissant envers la mère et la fille. Son caractère semblait adouci, il se laissait soigner comme le voulaient Micheline et Suzanne. Mais il se laissait aussi visiblement dépérir, et la jeune fille sentait chaque jour l'angoisse la serrer au cœur à la vue de la tristesse qui était à demeure dans ces prunelles sombres.

— On croirait réellement que tu ne veux pas guérir ! lui dit-elle un jour d'un ton de doux reproche.

— Mais c'est bien cela, en effet, répondit-il avec un calme poignant. N'est-ce pas compréhensible ? A qui suis-je utile ici-bas ? A qui manquerai-je ? Et puis, je vous délivrerai plus vite de cette sujétion que votre bonté et la promesse faite à mon père vous imposent près d'un pauvre infirme.

— Alexis, je t'en prie ! C'est par affection pour toi, surtout, que nous le faisons !

— Par affection ? Non, seulement par devoir, car je n'oublie pas ce que tu m'as dit, ou laissé entendre un jour. Te rappelles-tu ? Je te demandais si tu considérerais comme un malheur de toujours vivre près de moi ? Et tu m'as répondu... Te souviens-tu de ce que tu m'as répondu, Claudine ?

Elle baissa la tête, ses mains tremblantes se posèrent sur celles de l'infirme, brûlantes de fièvre.

— Oublie cela ! J'étais mauvaise. Maintenant que je commence à connaître les enseignements du christianisme, je ne le dirais plus.

— Tu ne le dirais plus ? Est-ce bien vrai ?

Ses yeux scrutaient avidement la physionomie de la jeune fille.

— Très vrai, je t'assure. Je le dirais d'autant moins que tu es maintenant très bon pour moi.

Il murmura avec une sorte d'ironie douloureuse :

— Ah ! tu ne comprenais pas ! tu ne comprenais pas ce que je souffrais ! Me voir enchaîné, pauvre être inutile et pitoyable, alors que j'aurais voulu posséder toute la gloire du monde pour te l'offrir, Claudine ! Oh ! je peux bien te le dire, maintenant que je vais mourir, je peux t'avouer combien tu as été aimée ! Je n'ai pas su te le faire comprendre, et tu as souffert par moi. J'étais aigri, révolté, je n'entendais autour de moi que la négation désespérante du beau, du bien, l'exaltation des jouissances matérielles ; je ne voyais que des hommes se ruant à l'assaut des honneurs, à la conquête de l'or, en piétinant leurs convictions et celles d'autrui, en se servant comme de marchepied du malheureux peuple trompé par eux, et dont ils se moquaient effrontément en petit comité. Tout cela m'a fait une âme mauvaise. Peut-être une morale telle que celle enseignée par les chrétiens m'aurait-elle transformé en un autre homme.

— Oh ! j'en suis sûre ! Ton cœur est si élevé encore, malgré tout ! s'écria Suzanne, les larmes aux yeux.

Elle avait écouté avec une émotion inexprimable les paroles d'Alexis, prononcées d'une voix sourde et ardente, et qui lui révélaient ce qu'elle avait été, ce qu'elle était encore pour le jeune infirme, en même temps qu'elles laissaient voir les ravages opérés dans l'âme d'Alexis par l'éducation sans Dieu.

— Si tu essayais de connaître cette religion qui me semble si belle, si consolante, si tu voulais permettre à maman de t'en parler ?

— Oh ! volontiers, dit-il avec un geste d'indifférence. J'aime toujours entendre ta mère, elle parle avec une telle douceur, que je voudrais l'écouter sans fin. Mais c'est bien inutile, car j'ai maintenant si peu à vivre que je n'aurai pas le temps de profiter de ses enseignements.

— Oh ! ce ne sera pas long, tu verras. Et d'ailleurs, tu vivras, parce que je le veux !

— Que veux-tu dire ? s'écria-t-il en lui saisissant la main.

— Je te l'apprendrai ce soir.

Et, quittant la chambre de l'infirme, Suzanne alla trouver sa mère avec qui elle eut une longue conversation, à l'issue de laquelle Micheline embrassa la jeune fille en disant avec une tendresse émue :

— Fais-le donc, ma chérie, puisque Dieu t'en inspire la pensée ; fais-le pour sauver cette âme qui me paraît très belle, et près de laquelle tu pourras vraiment être heureuse, si tu sais mettre ton bonheur dans le devoir accompli pour Dieu.

Après le dîner, la mère et la fille vinrent s'asseoir près d'Alexis. Le jeune homme semblait ce soir très abattu et extrêmement sombre. Suzanne lui prit la main et dit avec douceur :

— Tu ne me rappelles pas ma promesse de cet après-midi, Alexis ?

Il eut un geste vague et murmura :

— A quoi bon ! Je ne veux pas vivre.

— Même si je restais toujours près de toi ?

Il tressaillit, un rayon de bonheur traversa son regard fatigué. Mais il répondit sourdement :

— Je n'accepterai jamais cela. Je ne veux pas ton malheur, Claudine.

— Mais si c'était un bonheur pour moi de

t'entourer de soins, de te voir heureux autant que tu peux l'être ? Si je te disais : « Alexis, je serai ta femme dévouée et aimante, comme ton pauvre père me l'a demandé un jour ? »

Les traits crispés, les yeux étincelants d'une expression où se mêlaient le bonheur et l'angoisse, il regardait Suzanne rougissante d'émotion, il écoutait la douce voix toute frémissante. Tout à coup, il étendit brusquement la main.

— Tais-toi ! Je ne veux pas de ton sacrifice ! J'ai pu le désirer autrefois, dans un moment de fol égoïsme... et encore, à ce moment, j'espérais que tu arriverais à m'aimer. Mais, maintenant, je n'accepterais pas une pareille immolation de ta part. Oh ! ne proteste pas, ce mot d'immolation n'est pas trop fort, si tu te rappelles les termes dont tu t'es servie, le jour où je t'ai laissé entendre que je ne pourrais vivre sans toi.

Des larmes remplirent les yeux de Suzanne.

— Tu es cruel de me rappeler ma méchanceté !

Il lui prit la main en disant avec douceur :

— Pardonne-moi. Je te remercie de la bonté qui te dirige en ce moment, elle sera un réconfort pour le peu de temps qui me reste à vivre.

— Mais je veux que tu vives ! dit-elle d'une voix étouffée. Ne me croiras-tu pas si je te dis que je serai heureuse près de toi ?

— Non, non, dit-il sourdement. Tu es très bonne, mais je ne veux pas. Tu penses m'arracher ainsi à la mort. Peut-être y parviendrais-tu, mais au prix de ton bonheur. Et cela, non, car je t'aime trop pour te voir malheureuse.

— Et si c'était là mon bonheur, cependant ? dit-elle, les yeux brillants d'une généreuse ardeur.

— Ton bonheur ! Oh ! serait-ce possible ?

Suzanne se pencha vers sa mère en murmurant :

— Maman, dites-lui comme j'ai été sotte et folle. Mais maintenant, c'est fini...

— Oui, je raconterai cela à Alexis, ma chérie. Mais, dès maintenant, je puis lui dire qu'il trouvera en toi une épouse aimante et fidèle, mais une épouse chrétienne. Alexis.

— Oh ! tant mieux, car alors elle vous ressemblera ! Mais je n'ose. Vraiment, Claudine, ne regretteras-tu pas ?

— Non, dit-elle gravement. Je sais maintenant le prix d'une âme élevée, d'une réelle valeur morale, et cette âme est la tienne ; cette valeur, tu la possèdes. Si tu veux permettre à ma chère maman, à moi-même, si ignorante que je sois encore, de te parler des beautés immenses, des trésors renfermés dans notre sainte religion, je crois que nous serons heureux tous deux, car notre affection, s'élevant au-dessus de la terre, ira prendre sa source en Dieu qui ne passe point.

— Tu m'apprendras ce que tu voudras, je serai trop récompensé si ta religion me donne la résignation et la force morale. Et si tu me vois encore dur et mauvais comme jadis, ne crains pas de me le dire, rappelle-moi la promesse que je te fais aujourd'hui, à l'instant de nos fiançailles : « Claudine, je veux te rendre heureuse, je ne veux pas te faire jamais pleurer volontairement. »

Des larmes remplissaient les yeux de Suzanne, larmes d'émotion et de douceur.

— Merci ! Oh ! je savais bien que tu étais bon ! Mais j'ai quelque chose à te demander.

— Dis vite ! Je serai trop heureux de contenter tous tes désirs.

— Maman, voulez-vous lui expliquer ? demanda Suzanne en se tournant vers sa mère.

— Voici de quoi il s'agit, mon cher Alexis. Comme nous sommes pauvres, et vous très riche, on va naturellement raconter, dans le monde, que ma Suzanne agit simplement par cupidité.

— Oserait-on, vraiment ?

— On le dira, mon enfant, et qui sait si vous-même, parfois...

— Oh ! non, non ! s'écria-t-il avec chaleur, en saisissant la main de Suzanne. Je sais que son âme est trop belle, trop loyale pour agir sous une si basse impulsion ! Non, ma petite Claudine, tu n'as rien à craindre de ma part !

— Nous le croyons, dit Micheline avec une gravité émue. Mais tous ne jugeront pas ainsi. Et puis, je dois vous dire qu'une partie de cette fortune — celle qui vous revient de votre tante — ne nous paraît pas, à nous autres catholiques ; légitimement acquise. Le second mariage de Zélie, qui lui en a apporté la plus grosse partie, n'existe pas, en effet, à nos yeux. Et c'est un sacrifice que nous venons vous demander. Suzanne voudrait que vous ne conserviez de votre fortune que le nécessaire pour vivre simplement et subvenir aux soins qui vous sont nécessaires. Le reste serait employé en œuvres charitables, en subventions aux grandes causes patriotiques et religieuses.

Alexis enveloppa d'un regard ému la mère et la fille.

— Vous appelez cela un sacrifice ? Le luxe, les jouissances dont j'ai été entouré m'ont-ils donné le bonheur ? Mon âme se débattait dans la nuit sans espérance, mon cœur était broyé par la jalousie. Maintenant, je vois luire un espoir au-delà de la tombe, maintenant, je sais que ma Claudine a confiance en mon affection et ne quittera pas son pauvre Alexis. Auprès de ces purs bonheurs, que compte pour moi la richesse ? Nous vivrons modestement, tous ensemble — car je vous veux tous autour de moi — et je remettrai toute cette fortune entre vos mains et celles de Claudine, afin que, grâce à elle, vous fassiez des heureux.

— Merci, chez Alexis ! dit Suzanne, les yeux brillants de joie. Oh ! je te prouverai, va, que je te suis toute dévouée, que ma seule ambition est de te donner un peu de bonheur !

— Ma Claudine ! murmura-t-il.

CHAPITRE XXII

Le mariage ne se célébra que quatre mois plus tard, lorsque Alexis eut surmonté la terrible faiblesse physique à laquelle jusque-là il n'avait pas voulu résister. En même temps, il s'était instruit au point de vue religieux, il avait reçu le baptême et fait sa première communion avant son mariage. Celui-ci eut lieu à la villa Lætitia. Ce fut une cérémonie simple et émouvante que celle qui unissait cette jeune fille dans tout l'éclat de sa beauté blonde à l'infirme cloué pour toujours sur sa chaise longue. On essaya bien d'insinuer que la grosse fortune d'Alexis était le seul mobile qui dirigeait Suzanne, mais ces racontars ne tinrent pas lorsqu'on apprit que le fils de Prosper Louviers s'était débarrassé de la plus grande partie de ses biens au profit de nombreuses œuvres, et que les jeunes époux, quittant la luxueuse villa, iraient vivre avec Mme Mariey et ses fils dans une confortable mais simple maison déjà louée dans le quartier de Montreuil, et où la jeune femme et sa mère assumeraient la plus grande partie du service, tandis que Louis et Lucien continueraient leur métier, l'un de serrurier, l'autre d'ébéniste, pour s'établir plus tard à l'aide des économies réalisées par leur mère au prix de maints sacrifices.

Tous les Mollens étaient là, sauf Henry. Marié depuis un mois, il venait d'être envoyé dans une petite garnison du centre, fort peu recherchée. Que peut, en effet, espérer un gouvernement d'un officier noté de cette façon : « Clérical militant, intelligence supérieure, très dangereux par l'influence exercée sur le soldat qu'il feint de traiter avec bonté et intérêt. A expédier immédiatement dans une garnison « choisie ».

Mais, à peine établi depuis une quinzaine de jours dans son « trou », le lieutenant écrivait déjà à son père : « J'ai pu apprécier dès maintenant, et une fois de plus, cher père, la vérité de cette parole qui a été la règle de votre vie : « Il y a du bien à faire partout : le terrain le plus ingrat est susceptible de s'améliorer... » Entre mes devoirs d'époux et ceux d'officier, je puis, aidé de mes principes chrétiens, mener ici une vie utile et heureuse. Les sectaires nous mettent des entraves, à nous de les briser par notre hauteur d'âme et notre invariable attachement aux causes sacrées de la religion et de la patrie. »

Mlle Césarine était venue aussi assister au mariage de cette petite Suzanne qu'elle avait autrefois si souvent bercée. Elle était bien vieille, bien cassée, l'excellente demoiselle, mais son cœur était plus chaud que jamais, et son pauvre logement abritait toujours des protégés.

Après la cérémonie, tandis que les quelques invités, parmi lesquels se trouvait Mme de Revals, entouraient Micheline, charmante dans la robe de soie noire offerte par Alexis, Suzanne vint s'asseoir près de son mari. Il lui prit la main et l'enveloppa d'un regard de tendresse émue où passait un peu d'inquiétude.

— Tu ne regretteras rien, dis, ma Suzanne ? murmura-t-il.

— Oh ! ne crains rien, mon cher Alexis ! J'ai trop bien apprécié ton cœur, maintenant !

Et, penchant la tête vers lui, elle lui offrit son front sur lequel il posa doucement ses lèvres.

— Merci, Suzanne, ma chère femme. Nous serons donc unis... unis comme je l'avais rêvé. Te rappelles-tu, lorsque je te disais que je voulais te voir penser comme moi, trouver en toi les mêmes goûts les mêmes opinions ? Eh bien ! ce rêve se réalisera, car me voilà chrétien aussi, et c'est dans la religion, je le sens, que se trouve la véritable union des cœurs, la véritable joie de l'esprit.

Il demeura quelques instants silencieux, son regard fixé sur le groupe formé par Micheline, M. et Mme de Mollens, Mlle Césarine.

— Suzanne, les voilà, les vrais socialistes, ceux qui pratiquent réellement la fraternité ! dit-il à voix basse. Les autres n'en sont que les comédiens. Oui, il y a deux fraternités dans le monde : celle que l'on pratique dans la sincérité de son cœur, au prix du sacrifice même, et celle qui sert d'enseigne pour tromper le peuple.

OUVRAGES PARUS DANS LA COLLECTION FLORALIES

MARIANNE ANDRAU

Un curieux gitan
Un amour téméraire
Le bel insolent de Venise
Le passager de Calais-Douvres
Un charmant vaurien

ALIX ANDRÉ

L'éternel passant
Lac-aux-ours
Le prince blanc
L'hymne au soleil
La maison du corsaire
Ce soir-là, à Venise
Son Altesse mon mari
La dame de Malhanté
Le seigneur de Grünsfeld
L'écuyer de la reine
Dans l'ombre de Stéphane
Le chevalier errant
Notre-Dame-des-Neiges
L'ennemie
Escale dans la tempête
L'héritage des Dunham
Un homme venu de la nuit
Trois roses pour une infante
Le maître de Mortcerf

ANNE-MARIEL

Le rêve éblouissant

JEAN D'ASTOR

Le manoir des Mortes-Amours
La belle et le menteur
L'amour est une excuse
La Belle du Clos-perdu

CLAUDE-ANDRÉE BERT

Rosamaria

SUZANNE CLAUSSE

De sable et d'or
Cet amour impossible
L'ennemie secrète
Qui es-tu, mon amour ?

CORIOLA

Pour toi seul
Le plus grand amour
La troisième femme
La roche aux cerfs
La dame de Meyserling

LÉO DARTEY

Et si je t'aime
Mais l'amour...
Le chant sur la falaise
Le sacrifice de Tanna
Ton amour vaut un royaume
Ma petite fée
Marjolaine
Une ombre de bonheur
Le serment dangereux
La nuit de Vallauris
Qu'avez-vous fait de notre amour ?
Suivre son rêve

DELLY

La jeune fille emmurée
La louve dévorante
L'accusatrice
Le drame de l'Étang aux Biches
Annonciade
Un amour de prince
La lampe ardente
L'orpheline de Ti-Carrec
Gwen, princesse d'Orient
Le roseau brisé
Ma robe couleur du temps
Des plaintes dans la nuit
Le rubis de l'émir
Ourida
Salvatore Falnerra
Pour l'amour d'Ourida
Un marquis de Carabas
Laquelle?
Orietta
Le roi de Kidji
Elfrida Norsten
Le roi des Andes
L'ondine de Capdeuilles
L'enfant mystérieuse
Gilles de Cesbres
Le sphinx d'émeraude
Bérengère, fille de roi
Sous l'œil des brahmes
Hoëlle aux yeux pers
La fée de Kermoal
La villa des serpents
Le mystère de Ker-Even (Tomes I et II)
Anita
Une mésalliance
Sainte-Nitouche
La colombe de Rudsay-Manor
Le repaire des fauves
Les deux fraternités
Le sceau de Satan
Aélys aux cheveux d'or
L'orgueil dompté
Le feu sous la glace
Ahélya, fille des Indes
Les seigneurs loups
Lysis
L'illusion orgueilleuse
La biche au bois

DORIS FABER

Une fille de décembre

CLAUDE FAYET

L'héritière
La dame aux jacinthes
Serreloup

DANIEL GRAY

Saison sèche
L'homme du Sud

CLAUDE JAUNIÈRE

Loin de mes yeux
Lune de miel
J'aimais un vagabond
L'âge de l'amour
Romance à Grenade
Combat contre mon cœur
La sixième fenêtre
Pourquoi lui?
Le temple inachevé
Une fille laide
Je l'appelais Sweethie

LUISA-MARIA LINARÈS

La vie commence à minuit
Je t'aime presque toujours
Huit heures, Jean. Dix heures, Paul
La nuit, je suis indiscrète
Un mari à prix fixe
Sous la coupe de Barbe-bleue
Cette nuit, je rentrerai tard
Ne dis pas ce que j'ai fait hier
C'est la faute d'Adam
Anita la jolie
Unis pour l'aventure
Salomé la magnifique
Mon fiancé l'empereur
Douze lunes de miel
Passionnément infidèle
Je m'envolerai avec toi

CONCORDIA MERREL

L'amour balance
Par un long détour
Ni amour ni maître
L'ombre sur le bonheur
C'est toi que je cherchais
L'amour trébuche
Le phare s'allume
Le ciel se voile
Le double piège
L'amour l'emporte
La maison d'autrefois
D'un coup d'aile
A la poursuite du bonheur
En dernier recours
L'Impitoyable

DENISE NOËL

D'un cœur à l'autre
Le bal des loups
Pas de pitié pour l'infidèle
Il est minuit, Cendrillon
Pas d'imprudences, Véronique
Clairemare
Le rendez-vous de Maguelonne
La maison des secrets
Incorrigible jalouse
Les filles de Chanteloube
Le miel amer
Comme le vent sur la plaine
D'amour et de violence
De fiel et de miel
Le chemin de l'espoir

NELL PIERLAIN

La nymphe du lac
Le rendez-vous de Marrakech
Miss Darnell, starlette
Ombres sur les Andes

LILLIANE ROBIN

Sœurs ennemies
Christine des brumes
Le prisonnier de Junqueira
Dangereuse fascination
L'Hacienda maudite
Avec ce visage d'ange

SAINT-ANGE

Le songe d'une nuit d'hiver
La sonate pathétique
L'amazone noire
Le cygne de Kermor
Cinderella
Après le conte bleu
La chambre des enfants
La source au trésor
La rose de minuit
Le seuil interdit

SAINT-BRAY

Le passant
Routes dangereuses
C'était écrit
Jusqu'à la fin du monde
Vertige

JEAN DE SÉCARY

Le jardin sans oiseaux
Les lumières du cœur

HÉLÈNE SIMART

Le prix du silence
Rendez-vous avec l'amour
Celui qu'on n'attendait plus

MAX DU VEUZIT

Un singulier mariage
L'inconnu de Castel-Pic
Vers l'unique
Le mystère de Malbackt
L'homme de sa vie
Le vieux puits
La Châtaigneraie
Sa maman de papier
Mariage doré
Nuit nuptiale
Châtelaine, un jour
Fille de prince
La mystérieuse inconnue
Rien qu'une nuit
Arlette et son ombre
Sainte-Sauvage
Le cœur d'ivoire
La belle étrangère
L'étrange petit comte
L'enfant des ruines
L'automate

CLAIRE DU VEUZIT

La route ensoleillée
Petite vedette

CLAUDE VIRMONNE

L'homme des ajoncs
Par des sentiers perdus
Le château de l'imposture
L'appel du passé
Danger d'amour
Domaine interdit
Quand le cœur s'égare
La croix des loups
Chacun son secret
Aubépine
Le chevalier d'espérance
Une étoile dans la brume

ACHEVÉ D'IMPRIMER LE
12 FÉVRIER 1976 SUR LES
PRESSES DE L'IMPRIMERIE
BUSSIÈRE, SAINT-AMAND (CHER)

— N° d'édit. 125 C. — N° d'imp. 182. —
Réimpression déposée dans le 1er trimestre 1976.

Printed in France